Mon premier livre de Contes du Québec

Dépôt légal : 3e trimestre 2009
Bibliothèque et Archives nationales du Québec
Bibliothèque nationale du Canada

Gouvernement du Québec
Programme de crédit d'impôt pour l'édition de livres
Gestion SODEC

Correction : Corinne Danheux
Graphisme : Marie-Claude Parenteau | Geneviève Guertin

Imprimé au Canada

ISBN : 978-2-89638-542-3

Mon premier livre de contes du Québec

Corinne De Vailly

Illustré par
Benoît Laverdière

Les éditions
Goélette

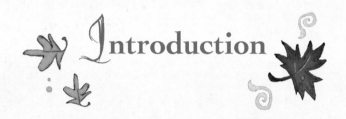

Introduction

HOU ! HOU ! HOU ! fait le vent qui colporte les légendes tout autour du Québec. Des contes, des fables, des histoires, je suis sûre que tu en connais plusieurs. Et les contes du Québec, les connais-tu?

Sais-tu qui est le Bonhomme Sept Heures, La Corriveau, Alexis le Trotteur? As-tu déjà entendu parler de la chasse-galerie, de la légende de Cap-Chat en Gaspésie?…

C'est à un grand voyage que je t'invite avec ce recueil. Tu parcourras le Québec de l'Abitibi à Québec, de la Gaspésie au Saguenay, avec des fables remplies de mystère, de fantaisie, d'aventure, de magie, de féerie.

Bien sûr, je ne suis pas la première à reprendre les anciens récits que les conteurs d'autrefois racontaient à la veillée. Plusieurs auteurs, il y a très très longtemps, on fait la même chose. Ils s'appelaient Honoré Beaugrand, Louis Fréchette, Jean-Aubert Loranger. Ils ont écouté les légendes que leurs ancêtres rapportaient, puis les ont transcrites pour que personne ne les oublie. **ACabris, ACabras, ACabram !**

J'ai fait la même chose. Mais je les ai adaptés pour toi. J'ai choisi de te parler des animaux, de la mer, de la fête, de la magie, du sirop d'érable et de tous ces sujets qui t'intéressent… J'ai déformé parfois, embelli souvent, raccourci pour que tu puisses avoir accès à la tradition québécoise…

Écoute ! **CriC ! craC ! croC !** font les bûches qui crépitent dans le foyer. **Zzinzinzin !** fait la chaise berçante de ton grand-père ou de ta grand-mère durant la veillée. **Grrrrrrrrr !** fait la gorge du conteur qui t'invite à écouter une légende. Maintenant, laisse-toi aussi envoûter par les magnifiques illustrations du magicien du crayon, Benoît Laverdière…

Ça y est ! Tu es prêt ? Allez, suis-nous dans un autre monde, un univers de loups-garous, de lutins, de diables et de fées…

Corinne De Vailly | Montréal, juillet 2009

Table des matières

Le gobelet d'argent

Pendant l'été, Élie et Grand-père aiment bien courir les ventes-débarras. Ils y trouvent toujours un bel objet à acheter. Ce matin-là, Grand-père emmène Élie à Trois-Pistoles. L'un de ses amis se débarrasse de vieilles choses ayant appartenu à sa famille. Ils fouinent dans un vieux coffre.

Bing ! Bang ! Bing ! Bang !

Lorsque Élie s'exclame :
– Wow ! Regarde, Grand-père ! Un gobelet de roi !

Grand-père tourne l'objet dans ses mains quelques secondes pour l'examiner.
– Ah ! Mais c'est le gobelet que mon ancêtre Riou avait prêté à Ambroise Rouillard !
s'exclame son ami. Il faut que je vous raconte cette histoire extraordinaire.

« Riou a coutume de recevoir un de ses amis, Ambroise Rouillard, un conteur qui voyage dans tout le pays. Il enchante tout le monde avec ses histoires extraordinaires.

Un jour, Ambroise s'arrête comme de coutume chez Riou. Il y passe un jour ou deux. Et comme d'habitude, il raconte des contes merveilleux.

Comme il n'est pas riche, et pour le remercier, Riou lui propose un bon manteau d'hiver, quelques outils et matériaux pour retaper sa maison. Mais Ambroise refuse.
– **Non ! Non ! Non !** Je ne fais pas pitié ! Par contre, comme il me reste beaucoup de route à faire, pourriez-vous me prêter un pichet ou un **gobelet** pour pouvoir m'abreuver plus facilement aux sources en chemin.

Madame Riou se rend dans la salle à manger et prend son plus beau **gobelet**. Un bel objet en argent qu'elle aime bien exposer sur le manteau de sa cheminée.
– Prenez ce petit présent, mon ami. Ainsi, en plus de vous permettre de recueillir l'eau des sources, il vous fera vous souvenir de nous pendant votre voyage.

Mais Ambroise refuse encore.
– **Non ! Non ! Non !** Je ne peux pas accepter un tel cadeau... Il est bien trop beau et trop précieux pour que je m'en serve.
– **Mais oui ! Mais oui !** Ne refusez pas, mon ami ! insiste madame Riou. Si vous voulez, disons que c'est juste un prêt. Vous nous le rendrez un jour ou l'autre.
– D'accord ! Si c'est un prêt, j'accepte ! répond Ambroise. Je vous le rendrai quand je reviendrai dans la région... Ou je vous le ferai porter, si je ne peux pas revenir moi-même.

Les jours et les années s'écoulent, mais Ambroise ne revient pas.
Et puis, un soir de printemps, madame Riou entre dans la salle
à manger pour y dresser la table.
– **Aaaaaa**h ! crie-t-elle, effrayée.

Elle a si peur qu'elle laisse tomber sa belle
porcelaine qui se fracasse sur le plancher.
ʙʟ**ing** ! ʙʟ**ing** ! ʙʟ**ing** !

Là, sur le manteau de la cheminée,
un dernier rayon de soleil vient
de frapper le **g**o**be**l**et** d'**arg**ent.
Elle n'en croit pas ses yeux.
Il est revenu tout seul à sa place.
Le soir même : **toc** ! **toc** ! **toc** !
Un jeune conteur vient frapper à la
porte des Riou.

Il leur apporte une bien mauvaise
nouvelle. Son maître, Ambroise
Rouillard, est mort quelques jours
plus tôt.

Madame Riou invite le jeune homme dans la salle à manger et lui montre le **gobelet d'argent**.

– Ambroise a tenu sa promesse. Il nous avait promis de nous rendre le petit **gobelet** que nous lui avions prêté... Et malgré sa mort, c'est ce qu'il a fait.

Depuis ce temps-là, ma famille a toujours gardé cet objet. »

– **wow !** s'exclame Élie. C'est un **gobelet** magique...

– Puisque tu sembles aimer les contes, Élie, eh bien, ce **gobelet** est à toi maintenant ! déclare l'ami de Grand-père.

Comme Aladin l'a fait avec sa lampe, **Frouch ! Frouch ! Frouch !**, Élie se met à frotter le **gobelet** avec sa manche...

– Peut-être que le bon génie d'Ambroise Rouillard y est enfermé et pourra me donner le don d'être un bon conteur plus tard ! chuchote-t-il, en souriant.

Le gobelet d'argent

Il s'agit d'un conte adapté de *Un saint missionnaire, le père Ambroise Rouillard* de Charles-Arthur Gauvreau (1860-1924).

Le père Ambroise Rouillard a réellement existé. Il fut missionnaire récollet de Rimouski et Trois-Pistoles de 1724 à 1736.

Il serait né en 1693. Il s'est noyé lorsqu'il se rendait de Trois-Pistoles à Rimouski en janvier 1769, près du Cap-à-l'Orignal. Sa disparition donna naissance à la légende du gobelet d'argent.

Le voyage fantastique d'Élie

Bing, Bing ! Il est deux heures du matin à l'horloge du salon. Dehors, il neige de gros flocons. C'est la veille du jour de l'An. Une main secoue Élie. Il sursaute.

– Quoi ? fait Élie, tout endormi.

– Chut ! dit Simon, son grand cousin de quatorze ans. Viens, on va s'amuser !

Simon montre un grand livre à Élie.

– C'est le livre dans lequel Grand-père a recueilli des histoires de diable. On va essayer les **formules magiques**…

– Mais c'est dangereux ! répond Élie.

– Ne t'inquiète pas. Allez, dépêche-toi un peu.

Simon pousse Élie hors du chalet. Un canot est échoué sur le bord du lac.

– Qu'est-ce que tu fais ? demande Élie.

– ACabris, ACabras, ACabram, Roi des Enfers, emmène-nous dans les airs ! murmure Simon.

Élie ouvre tout grand les yeux. Il commence à avoir peur. Simon insiste :

– ACabris, ACabras, ACabram ! Il n'y a aucun danger !

– J'aime pas ça ! grogne Élie.

Simon le prend dans ses bras et le dépose à l'avant du canot. Puis, l'adolescent regarde vers le ciel tout noir et reprend :

– ACabris, ACabras, ACabram, Roi des Enfers ! Si pendant notre voyage nous prononçons une seule fois le nom de Dieu ou si nous frôlons le clocher d'une église, tu auras nos âmes. En échange, tu dois nous transporter dans les airs ! ACabris, ACabras, ACabram !

Élie frissonne. Mais il est trop tard pour débarquer. Un tourbillon de vent pousse très fort le canot sur le lac gelé. Une autre bourrasque le soulève.

– ACabris, ACabras, ACabram ! répète Simon en riant. Souffle, souffle, Roi des Enfers.

Le canot **tourne et tourne, monte et monte**… Dessous, les arbres et les lacs défilent. Au-dessus, la lune et les étoiles brillent comme des perles. Élie se met à crier lui aussi.

– C'est plus amusant que les manèges du parc d'attractions, pas vrai ? dit Simon.

Tourne et tourne. Monte et monte. File et file. Élie et Simon rient aux éclats.

Bientôt, des lumières apparaissent au loin. Le canot penche à droite, penche à gauche.
Évite un clocher, puis un autre… Là-bas, ah oui ! C'est la ville.
– Tiens-toi bien, on descend ! crie Simon.

Bang ! Le canot tombe comme une pierre dans un banc de neige. Élie se sent tout étourdi.

Droit devant, il y a une maison.
Ils entendent des rires et des chansons.
Ils voient des ombres se trémousser à
travers les fenêtres.
– Bon ! Maintenant, attention ! Pas de
bruit ! prévient Simon.

Les garçons s'approchent. Le nez collé
à la fenêtre, ils regardent les gens qui
s'amusent dans la maison. Ça
danse et ça **chante.**
Tourne à droite, tourne à
gauche, un pas en avant, un
pas en arrière… **Saute
et virevolte.**

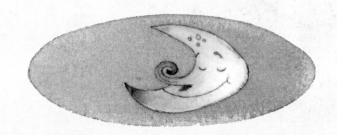

Les deux cousins ne voient pas le temps passer. Déjà, le clocher du village sonne cinq heures du matin. Il faut partir. Élie et Simon remontent en vitesse dans leur canot.

– ACabris, ACabras, ACabram ! dit Simon.

Le canot décolle. Trop vite, trop fort. Penche à droite, penche à gauche, tourne devant, tourne derrière. Monte et monte… Tombe, tombe et tombe. Remonte et repart…
– Oh, j'ai mal au cœur ! se plaint Simon. ACabris, ACabras, ACabram ! Roi des Enfers, ralentis ! Ralentis, je te dis !

Mais au contraire : le canot accélère. Le vent souffle, souffle.
Le canot tourbillonne. Pirouette par-devant, galipette par-derrière. Tangue et roule. Chamboule et tourneboule.

Cramponné aux bords du canot, Simon ne se sent pas bien. Élie veut rentrer au chalet.
– Vite Simon, tout droit !
– Je sais ce que je fais ! grogne son cousin. ACabris, ACabras, ACabram ! Roi des Enfers, fais-nous voyager dans les airs !

Le canot s'élève à toute vitesse. Mais Simon se sent de plus en plus mal. Il n'arrive plus à le diriger.
– À droite ! À droite ! À gauche ! À gauche ! Tout droit ! Tu vas nous envoyer chez le diable, hurle Élie. Mais Simon n'écoute plus. Il s'écroule au fond du canot. Il est blanc comme un linge. Il a trop mal au cœur. Soudain, une colline apparaît droit devant. Le vent souffle et tempête, le canot bondit et file.

Bang ! Le canot heurte la butte et dégringole. Heureusement, la neige est molle. Les garçons descendent pour voir s'il y a des dégâts. Ouf ! Plus de peur que de mal ! Mais Simon ne se sent plus capable de remonter dans le canot.
– Je vais me reposer un peu, j'ai trop mal au cœur !

Impossible de le convaincre de remonter à bord.
– Il faut retourner au chalet, s'impatiente Élie.
Grand-père sera fâché quand il va découvrir qu'on a
utilisé les formules magiques… On ne peut pas rester
là. Si tu ne montes pas, eh bien, eh bien… euh…
je te laisse ici. Élie grimpe dans le canot. Simon
bougonne, mais se hisse à côté de lui.
– ACabris, ACabras, ACabram !
Roi des Enfers, fais-nous voyager dans les airs !
lance Élie pour faire repartir le canot.

Et tangue, et remue, et balance, et roule le
canot. Il va chavirer. Pirouette par-devant,
galipette par-derrière. Bringuebale et
tournicote. Le canot heurte le sommet
des pins noirs devant le chalet. Et bing,
bang, bing, bang, bing, bang !
Dégringole. Dégringole. Dégringole de
branche en branche.

Bong ! fait la tête d'Élie contre
un tronc d'arbre. Il s'évanouit.

Une main le secoue.
– Élie, Élie !
– Quoi ? fait Élie, tout endormi.
– Il est huit heures, tu viens
déjeuner ? dit Papa.

Élie sent une grosse bosse sur son crâne. Que s'est-il passé ? A-t-il vraiment fait un **Voyage eXtraOrdinaire?** S'est-il cogné contre la tête de lit ?

Il s'appuie sur une main pour se lever. Oh, mais qu'est-ce que c'est ? Oh, le livre de Grand-père est sur le lit… grand ouvert !

« **ACabris, ACabras, ACabram !** Roi des Enfers, fais-nous voyager dans les airs ! » lit Élie sur la page illustrée d'un canot.

La chasse-galerie

L'origine de la chasse-galerie remonterait au Moyen Âge, dans la région du Poitou (France). Un certain sieur de Gallery (ou Guillery), chasseur et mécréant, fut condamné à chasser dans les nuages jusqu'à la fin des temps pour avoir déserté l'église durant la messe pour partir à la chasse. D'autres sources signalent la Chasse Sauvage, toujours dans le Poitou. Dans ce cas, le mot galerie viendrait du verbe « galer » (se divertir bruyamment). La chasse-galerie serait donc une chasse menée avec fougue. En Angleterre, on parle de Herne le Chasseur, un chevalier fantôme dont la tête s'orne de bois de cerf et qui mène la chasse dans le ciel. Dans ce dernier cas, il s'agirait de l'équivalent de Cernunnos, le dieu celte qui assure la transition d'une saison à une autre. Le conte de la chasse-galerie a traversé l'océan avec les colons français au XVIIe siècle.

On dénombre aujourd'hui près de trois cents versions de cette légende. Par exemple, dans les Maritimes, on parle de pêcheurs à bord d'un voilier, ou d'autres s'agrippant à une planche ou à un tronc d'arbre. La version québécoise la plus connue est celle d'Honoré Beaugrand publiée en 1891-1892 dans le journal *La Patrie* et reprise en 1900 dans un recueil de contes intitulé *Légendes canadiennes*.

La Corriveau

Élie et Grand-père sont au jardin, en train de préparer le potager.
– Hé, qu'est-ce que c'est que ça ? fait Élie. Un anneau tout rouillé vient d'apparaître sous sa pelle.

Il **tire, tire** et **tire,** de toutes ses forces. Tellement qu'il en tombe sur les fesses. Alors, avec sa pelle,
il **creuse, creuse, creuse !** Et soudain, ça y est ! Une grande cage de fer tout rongé apparaît.
– Je me demande bien quelle sorte d'oiseaux, on pouvait garder là-dedans ? fait-il à voix haute.
                    – Ah ! lui répond Grand-père. Un bien drôle
                    d'oiseau, tu as raison ! Je vais te raconter
                    une histoire vraiment étrange…

– Raconte, Grand-père ! Raconte !

– Hum ! fait le vieux bonhomme. Ça s'est passé, il y a bien longtemps. Tellement longtemps ! Attends que je fouille mes souvenirs.

Crouch, crouch, crouch ! fait le crâne de Grand-père quand il le gratte.

– Ah, oui voilà !

« C'est dans le temps de la Nouvelle-France. À Saint-Vallier, près de Québec, il y a une belle jeune fille, qui s'appelle **Marie-Josephte Corriveau**. Sa beauté est si grande que tous les hommes en tombent instantanément amoureux. »

– Toi aussi, Grand-père ? demande Élie.

– Euh… je ne suis quand même pas si vieux ! fait Grand-père en rigolant. Mon histoire se passe bien avant mon temps !

« Bon alors, un jour, la belle se marie. Tout le monde s'amuse, mais voilà que la cloche de l'église sonne le glas… »

– C'est quoi le glas ? demande Élie.

– … Un mauvais présage ! Ça annonce la mort de quelqu'un…

– Oh, oh ! Mais qui va mourir ?

– Chut ! poursuit Grand-père, à voix basse.

« C'est une nuit après les noces… le mari entend Marie-Josephte se lever. Elle sort et s'en va au bord du fleuve. Alors, il la suit. Et là, ô stupeur, ô désespoir. Voilà que **Marie-Josephte danse au-dessus des eaux**, avec des formes blanches et translucides. »

– Oh, oh ! Des lutins ou des elfes ! fait Élie, les yeux tout écarquillés.

– Plutôt des sorciers et des diablotins, reprend Grand-père.

« Le mari pousse un grand cri. Marie-Josephte l'entend. Furieuse, elle revient vers la rive. Mais là, ô malheur, ô horreur ! Son beau et doux visage ressemble maintenant à celui d'une vieille pomme ratatinée. Elle a un nez crochu et de grosses rides plein la peau. Elle prononce une formule magique : *Deupadanlo, Vazymonnono, Valsedanlo !* Le mari s'avance au bord du fleuve. Alors, venue d'on ne sait où, une grande vague se jette sur le mari et l'emporte… On ne retrouve son corps que le lendemain. »

– Oh, oh ! C'est une sorcière ! fait Élie.

« Les mois passent, poursuit Grand-père. Un autre garçon l'épouse. Elle est si belle, si douce, si joyeuse ! Puis un matin, Louis Dodier est découvert dans l'étable, tué par des coups de sabot d'un cheval, semble-t-il. Mais bientôt les rumeurs se mettent à courir… »

– Ça court vite, les rumeurs, tu sais Élie. Bien vite ! Et c'est parfois sur des rumeurs que naissent **les contes** et **les légendes**.

Élie hoche la tête. Il ne dit rien. Il veut juste connaître la fin de l'histoire de Grand-père.

« En faisant une enquête, on pense que Marie-Josephte a peut-être fait quelque chose de mal à Louis Dodier. **La Corriveau** est jetée en prison. Mais son vieux père l'aime beaucoup. Il veut la protéger. Alors, il s'accuse d'avoir assassiné le mari. »

– Oh, oh ! Mais c'est pas vrai ! s'exclame Élie.

– Eh non, c'est pas vrai !

« Le père est jeté en prison. Ô stupeur, ô désespoir ! Toutefois, avant d'être exécuté, il demande à voir un prêtre. Il lui raconte qu'il s'est accusé à la place de sa fille. »

– Ouf ! Il a eu chaud le bonhomme ! répond Élie, soulagé.

« Pour le salut de ton âme, dit le curé au père, tu ne peux pas laisser une meurtrière impunie. Tu dois dire la vérité. » Le vieux père accepte finalement.

La Corriveau est conduite sur les Buttes à Nepveu, près des plaines d'Abraham comme c'est la coutume de ce temps-là. Elle est exécutée. On enferme ensuite son corps dans une cage de fer, que l'on accroche à un arbre.

Aux alentours, on raconte que la nuit venue, **la Corriveau** se met à poursuivre les voyageurs attardés. Certaines personnes disent l'avoir vue, en grande discussion avec des loups-garous. Alors, un jour, on enterre **la Corriveau** et sa cage. Et c'est ainsi qu'est née la légende. »

Élie secoue la cage de fer qu'ils ont dégagée…
– Wow ! Tu crois que c'est cette cage-là, Grand-père ?
– Euh ! Non, répond Grand-père, en riant. Celle-là, c'est celle dans laquelle je gardais mes **poule**s, il y a quelques années.

La Corriveau

Marie-Josephte Corriveau a réellement existé. Elle est née à Saint-Vallier, près de Québec, le 14 mai 1733. À 16 ans, elle a épousé, Charles Bouchard, âgé de 23 ans. Ils eurent trois enfants. Une dizaine d'années plus tard, devenue veuve, elle se remaria avec Louis Dodier qui mourut trois ans plus tard. Accusée de l'avoir assassiné, Marie-Josephte est condamnée à mort. Après avoir été exposée à la vue de tous dans une cage, elle et sa prison de fer furent enterrées ensemble dans le cimetière de l'église Saint-Joseph-de-la-Pointe-de-Lévy.

La cage fut volée, puis achetée par le cirque américain P.T. Barnum. On la signala ensuite dans un musée de Boston. La cage aurait été détruite dans l'incendie du musée. La légende s'est emparée de Marie-Josephte Corriveau, probablement en raison des circonstances de sa condamnation qui ont frappé l'imagination populaire. La tradition orale a fait d'elle une sorcière qui aurait tué, selon les versions, jusqu'à sept maris.

La griffe du diable

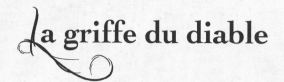

Ce dimanche-là, Grand-mère décide d'aller cueillir des **bleuets**. Comme elle garde bébé Léo, le petit frère d'Élie, pour deux, trois jours, elle l'emmène avec elle.

Après un coup d'œil dans le champ derrière chez elle, elle constate que les **bleuets** sont encore petits. Par contre, dans le champ voisin, ils sont gros, beaux, juteux, croquants sous la dent. Et il y en a tellement. Grand-mère se dit qu'elle va pouvoir faire une belle tarte et même quelques pots de confiture : « Élie les aime tant ! » Sans rien demander à personne, elle commence sa cueillette.

Mauvaise idée ! Bien mauvaise idée ! Le champ est situé juste derrière chez madame Malcommode. Elle porte bien son nom, celle-là : toujours à grogner pour un oui ou pour un non. Elle trouve toujours un prétexte pour se plaindre.

Manque de chance, ce dimanche-là, madame
Malcommode est encore de plus mauvaise humeur
que d'habitude. Elle voit Grand-mère dans le champ.
Tout doucement, sans faire de bruit, elle sort de chez
elle et s'approche. Puis, quand elle est assez près,
elle se met à lui lancer des gros mots.
– Qu'est-ce que tu fais là ? Retourne donc chez toi…
Tu n'as pas le droit de prendre ces fruits-là !

Grand-mère ne se laisse pas impressionner par cette
Malcommode. Elle réplique :
– Ces beaux fruits-là appartiennent à tout le monde.
C'est un cadeau de la nature !
– Retourne chez toi ! gronde la Malcommode.
– Ah, effrontée ! répond Grand-mère qui, elle
aussi, a du caractère.
– Voleuse ! hurle la Malcommode.
– Ah, et puis, va donc chez le **diable !** laisse
tomber Grand-mère, exaspérée.

Mais elle n'a pas fini de prononcer ces mots-là que la terre se met à trembler. Le ciel devient tout noir. **De la poussière tourbillonne.** Une puanteur infernale envahit l'air. Et brusquement, comme surgie des profondeurs de la terre, **une créature monstrueuse apparaît.** Elle a une tête de bouc, des oreilles de loup, des cornes de bélier, un corps long, mince, mais costaud… et **noir, noir**… On n'a jamais vu si **noir**. Au bout de ses pieds et de ses mains poussent de longues **griffes** sombres et crochues.

Grand-mère et madame Malcommode avalent leur salive. Elles n'osent plus dire un mot.

– On m'a demandé, ici ? fait le monstre.

Grand-mère comprend ce qui se passe. Elle tire madame Malcommode par la main.

– Vite, madame Malcommode. Vite ! C'est le **diable** ! Collons-nous contre bébé Léo. C'est un petit être pur. Le diable ne pourra rien contre nous.

La Malcommode ne se le fait pas répéter deux fois. Elle se serre en tremblant contre Grand-mère et bébé Léo.

Le diable **gROnde et gROgne** ! **GROgne et gROnde**. Ses yeux brillent comme des morceaux de charbons ardents. Il tourne et se retourne. Sa longue queue fouette l'air. Il est très fâché de ne pouvoir s'emparer des deux femmes. Pour passer sa colère, il se jette sur un gros rocher et se met à le **griffer. Griffer. Griffer** des pieds et des mains. **GrouCh ! GrouCh ! GrouCh !** Sa colère est si terrible qu'il continue le même manège pendant de longues minutes. Ses **griffes** laissent des marques profondes dans la roche dure. Puis, dans un tourbillon de vent, il disparaît comme il est arrivé, sans crier gare ! Le diable est vraiment fâché de n'avoir pas pu prendre les âmes de ces deux bonnes femmes. Il se promet de revenir dès qu'elles prononceront encore son nom. Elles ne perdent rien pour attendre.

Grand-mère et madame Malcommode se séparent enfin. Ouf, elles sont heureuses d'avoir échappé aux **griffes du diable**.

– Je jure ne plus jamais prononcer le nom du diable, fait Grand-mère.

– Pareil pour moi ! jure à son tour madame Malcommode.

– Vous prendrez bien un peu de tarte aux **bleuets**, pour vous remettre de vos émotions, propose Grand-mère.

– Ah ! c'est pas de refus. Avec de si gros **bleuets**, elle va être bien bonne !

Depuis ce jour-là, Grand-mère et madame Malcommode sont devenues amies et partagent leurs recettes de confitures aux **bleuets**. Mais lorsqu'elles voient un sans-abri, elles ne disent plus « Pauvre diable ! ». Lorsque Grand-père cherche son petit chariot à deux roues pour transporter des objets lourds, Grand-mère ne lui dit pas « Le diable est dans le cabanon ! » **Oh que non !** Si à la fin du mois, madame Malcommode a du mal à joindre les deux bouts, jamais plus elle ne dit qu'elle « tire le diable par la queue ! » Et si ça sent mauvais autour de la porcherie, Grand-mère se retient de penser que « ça sent le diable ! » Quant à dire aux parents d'Élie et Léo qu'ils habitent au diable vauvert, il n'en est plus question !

Et puis, le rocher est toujours là, à Saint-Lazare-de-Bellechasse, pour leur rappeler leur promesse. On y voit encore distinctement les **griffes du diable**.

La griffe du diable

On trouve ce genre de rochers griffés dans de nombreuses régions du monde, notamment en France : Normandie, Franche-Comté, Bretagne, Lozère… Parmi les hypothèses souvent avancées, ce seraient des traces laissées par des animaux préhistoriques (ours ou grands félins) sur des terrains meubles qui se seraient fossilisées au fil des millénaires.

Dans le cas de la légende de Saint-Lazare-de-Bellechasse, qui daterait de 1820, ses racines puiseraient dans le manque de distraction des femmes de l'époque. Celles-ci passaient de nombreuses heures à la maison à s'occuper de leurs multiples enfants. Il en aurait résulté des chicanes de clôtures mémorables. Il ne suffisait plus ensuite que d'y rattacher des lieux et des traces mystérieuses, et voilà, la légende était née.

Chat de Cap-Chat

C'est l'été. Il fait chaud. Il fait sec, en Gaspésie. Les greniers sont vides. Pour les animaux sauvages, la vie est devenue très difficile. Ils ne trouvent plus rien à manger.

Chat, lui, est un félin errant. Il a faim. Vraiment faim. Mais il n'y a pas la plus petite souris à se mettre sous la dent. Pendant plusieurs jours, il se promène sur la plage. D'un coup de patte, il retourne les galets : rien. Il fouille les creux des rochers : rien. Il explore les hautes herbes sèches : rien, rien de rien, rien à croquer. Il est désespéré. Et en plus, il fait tellement chaud. Chat gratte le sable et se fait un nid. Puis, il se roule en boule, et somnole au bord de la mer. Pourtant, Chat déteste l'eau. Mais il fait si chaud pour Chat. Et c'est le seul moyen de trouver un peu de fraîcheur.

Il passe le temps à regarder les vagues. Et puis soudain, un matin, il a une idée :
– Allez ! se dit-il. Un peu de courage !
Chat plonge une patte entre deux vagues pour capturer un poisson.
– Brrrr ! C'est euh… mouillé ! fait-il en ressortant la patte à toute vitesse.

Personne ne lui a enseigné les techniques de pêche de l'ours. Et il fait si chaud. Même les poissons ont filé vers des eaux plus fraîches.

Pendant plusieurs heures, Chat reste sur la rive, à fouiner entre les rochers. Mais pas la moindre trace de la queue d'un poisson-chat. Chat est tout chagriné. Tout à coup, il entend du chahut. Il se cache derrière un vieux chalet.

Ses papilles le chatouillent. Son cœur bat la chamade. Une petite boule de poils châtains vient d'apparaître.

Chat s'étend sur l'herbe et fait semblant de dormir. La petite bête s'approche pour savoir qui est ce chat. Chat est un chasseur. Il se détend et couic ! Il l'avale tout rond. Il y a d'autres petites boules de poils dans le terrier. Mais pour le moment Chat n'a plus faim. Il se contente de jouer à chat perché avec les autres petites boules de poils… avant de jouer au chat et à la souris, lorsque la faim reviendra.

Soudain, une immense ombre se dresse devant lui. La bête ressemble à un gros, un énorme, un terrible chat. Ses crocs sont sortis, ses poils hérissés. Elle a d'immenses yeux verts, profonds comme la mer. Oups ! Chat avale sa salive. Il a comme un chat dans la gorge ! C'est la Fée-Chat. Chat devine qu'il a affaire à une puissante chamane. C'est elle la châtelaine du coin.

Chat comprend, trop tard, qu'il a mangé un de ses petits. Le miaulement d'horreur de la Fée-Chat retentit à des lieues à la ronde. Dans le village, les grands-mères ont si peur qu'elles en récitent leur chapelet. Pris de terreur, deux pêcheurs en chaloupe chavirent.

La Fée-Chat connaît la magie.
– Cha-maille, Cha-piteau, Cha-rabia, Cha-touille et Cha-cha-cha…, miaule-t-elle.

Ses grands yeux verts se fixent sur Chat.
– Pour te punir, lui dit-elle, tu passeras désormais ta vie ici, en forme de rocher.

Chat se fige… Il vient d'être transformé en pierre.
Depuis ce jour, on peut voir, un grand rocher, en forme de chat, se dresser face à la mer. Et tout naturellement, lorsque le village a été fondé, eh bien, on l'a appelé cap-Chat, en souvenir de la mésaventure de Chat.

Par contre, depuis ce jour-là, plus aucun félin affamé n'ose venir, les soirs de pleine lune, se promener sur la plage. C'est le royaume de la Fée-Chat et tout le monde sait qu'il ne faut surtout pas la déranger.

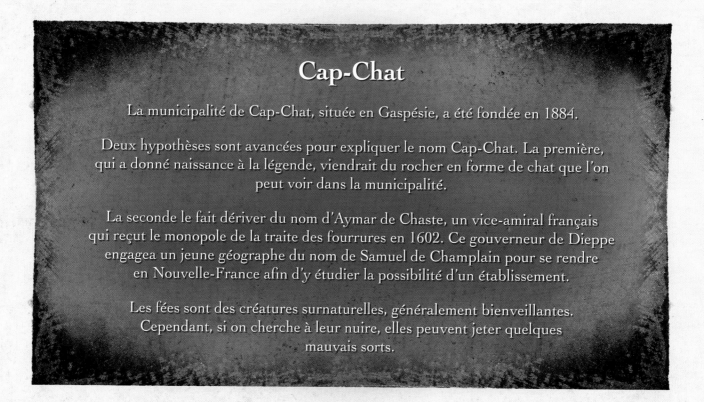

Cap-Chat

La municipalité de Cap-Chat, située en Gaspésie, a été fondée en 1884.

Deux hypothèses sont avancées pour expliquer le nom Cap-Chat. La première, qui a donné naissance à la légende, viendrait du rocher en forme de chat que l'on peut voir dans la municipalité.

La seconde le fait dériver du nom d'Aymar de Chaste, un vice-amiral français qui reçut le monopole de la traite des fourrures en 1602. Ce gouverneur de Dieppe engagea un jeune géographe du nom de Samuel de Champlain pour se rendre en Nouvelle-France afin d'y étudier la possibilité d'un établissement.

Les fées sont des créatures surnaturelles, généralement bienveillantes. Cependant, si on cherche à leur nuire, elles peuvent jeter quelques mauvais sorts.

Le trésor

C'est les vacances d'été. Élie est aux Îles-de-la-Madeleine, chez Étienne Lapierre, le cousin de Maman. Quand il était jeune, Étienne a vécu toute une aventure qui l'a rendu célèbre dans les îles. **Il a trouvé un trésor de pirate.**

Élie l'accompagne dans les dunes rondes de l'île du Havre-aux-Maisons, le lieu de son incroyable découverte.

– Un jour, j'étais assis, ici même, commence Étienne. Au sommet de cette butte. Je regardais la mer, comme on le fait aujourd'hui. Tout à coup, qu'est-ce que je vois qui s'en vient vers la côte ?…

– **Quoi ? Quoi ?** demande Élie, les yeux fixés sur l'océan.

– Ah ! Un gros bateau que je ne connais pas. Il n'a pas l'allure d'un navire de pêche… Crois-moi, je les connaissais tous ! Mais cette goélette-là, je ne l'ai jamais vue. Elle s'approche de la petite baie, juste là derrière le buttereau*.

– **Et toi, tu fais quoi ?**

– Je me faufile derrière un rocher. Et j'attends… Oh, pas bien longtemps. Car, tout à coup, les voilà qui arrivent…

– **Qui ? Qui arrive ?**

– C'est pas des matelots ordinaires, oh non ! Pas des pêcheurs ! C'est des **pirates** !

– **Des pirates ?**

– Je me cache entre deux rochers pour les surveiller. Les trois pirates mettent une chaloupe à l'eau.

Ils y placent un gros coffre de bois. Énorme !

Étienne indique les dimensions en écartant les bras loin de lui.

– Oh, oh ! C'est gros !

– Énorme ! Et voilà les pirates qui débarquent, avec une pelle et une pioche.

– **Pour quoi faire ?**

– Ils se mettent à creuser au sommet du buttereau. Et ils creusent, et ils creusent et ils creusent…

Et là, je comprends ! Ils vont sûrement enterrer leur **trésor**.

– **Tu as peur ?**

– Imagine ! Si les pirates me voient, je suis pas mieux que mort ! réplique Étienne.

Élie retient son souffle.

– Les pirates font descendre le coffre dans le trou. Puis, l'un des trois ouvre un grand sac. Il en sort des ossements : un squelette… sans tête !

– Sans tête ! répète Élie.

– Les pirates jettent le squelette sans tête dans le trou. Puis, ils remplissent la cachette avec de la terre et des cailloux. Le plus grand des pirates dépose une grosse roche sur le monticule et dit aux autres : « Maintenant, c'est fait. Le trésor est en sécurité, avec son gardien sans tête. »

– Et après ? demande Élie, en frissonnant.

– Les pirates poussent la chaloupe vers la mer. Il fait presque nuit… Tout à coup, j'entends le grand pirate dire : « Quand le coq labourera et que la poule hersera, le trésor pourra être levé. Mais pas avant ! Personne ne pourra rien entreprendre autrement. »

– Une malédiction de pirates ?

– Oui. C'est comme dire « Quand les poules auront des dents ! » Les pirates remontent dans leur bateau… Moi, il me faut encore une bonne heure ou deux pour reprendre mes esprits. Il fait nuit noire quand je reviens à la maison.

– Tu dis rien à personne !

– Rien de rien ! assure Étienne. Par contre, au village, bientôt, des rumeurs commencent à courir. Les pêcheurs disent avoir vu un homme sans tête sur le buttereau pendant la nuit.

– Et toi, tu fais quoi ?

– Rien. Mais un jour, j'ai une idée. Je confie mon secret à mon frère. On se rend d'abord dans la basse-cour…

– Pour prendre un coq et une poule bien grasse…, fait Élie.

– Je ne peux pas donner des dents aux poules, mais je peux fabriquer une charrue et une herse, miniatures bien sûr. Mon frère et moi, on se rend en cachette au buttereau avec le coq, la poule et tout notre attirail. Sur la plage, on attelle le coq et on lui fait labourer un bon petit carré de sable. Ensuite, on attache la poule à la herse et, à son tour, elle gratte la portion que son compère vient de labourer. Puis, on revient chercher nos parents. **Il est temps d'aller chercher le trésor.** Mais ma mère proteste :

« Quoi ? Vous voulez nous faire mourir de peur !

« Avec le corps sans tête qui erre tous les soirs ! s'écrie notre père. Vous êtes fous ! »

– Finalement, nos parents acceptent. Arrivé là, je commence par enlever la grosse pierre, sans aucune difficulté. Ensuite, on se met à creuser la terre qui est devenue toute molle.

– Et là, tout à coup, vous touchez le coffre ! lance Élie, tout heureux.

– C'est ça ! On réussit à sortir le coffre et à le rapporter chez nous. Lorsqu'on l'ouvre, on voit des milliers de pièces d'or et d'argent… On compte notre fortune puis on va se coucher.

– **Mais au matin…**, relance Élie.

– Ma mère découvre le squelette sans tête allongé sur un banc, devant la maison.

À côté, on trouve un papier: « Enterrez-moi au cimetière, ma tâche est accomplie ! » C'est ce qu'on a fait. Ensuite, on a partagé le **trésor** avec tous les gens de l'île…

Élie sourit. Il adore cette histoire et ne se fatigue jamais de l'écouter. Étienne fouille dans sa poche et en sort une belle pièce d'or qui étincelle au soleil. Il la pose dans la main d'Élie.

– Tiens ! Voici une petite part du **trésor** du buttereau…

Le trésor

Le trésor du buttereau (ou de la butte ronde) est une légende des Îles-de-la-Madeleine connue depuis le XIXe siècle. Depuis les débuts de la colonisation, les côtes du Saint-Laurent furent les témoins de quelques navigations pour le moins suspectes et de nombreux naufrages. En effet, il pouvait arriver que le mauvais temps oblige des corsaires et des pirates à mettre pied à terre pour enfouir leur butin, dans l'idée de revenir le chercher plus tard. Il n'en fallut pas plus pour alimenter la légende.

Aux Îles-de-la-Madeleine, la tradition de la chasse aux trésors est toujours vive. D'ailleurs, un festival qui se tient à la fin juillet la perpétue depuis plusieurs années.

Les îles de la Madeleine sont situées dans le golfe du Saint-Laurent. La région est constituée d'une douzaine d'îles. Jacques Cartier les avait baptisées « les Araynes », du latin *arena*, signifiant sable. Six sont reliées entre elles par des dunes et des ponts, il s'agit de l'île du Havre Aubert, de l'île de la Grande Entrée, de l'île du Havre-aux-Maison, de l'île du Cap-aux-Meules, de l'île aux Loups, de Grosse-Île, de la Pointe-de-l'Est. Les quatre autres îles sont légèrement détachées du groupe, il s'agit de l'île d'Entrée, de l'île Brion, du Rocher-aux-Oiseaux et du rocher du Corps-Mort. Le nom « Madeleine » viendrait de Madeleine Fontaine, épouse du premier seigneur des îles, François Doublet, originaire de Honfleur en Normandie. L'un de leurs fils, Jean-François, fut « corsaire et lieutenant de frégate ».

*buttereau : mot acadien, petite colline

Corne de brume

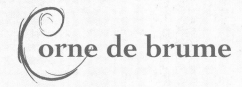

Élie et Joé sont partis en chaloupe sur le lac, pour pêcher. Ils ont beaucoup de plaisir et ne voient pas le temps passer. Ils ne voient pas non plus la brume qui se lève. Le vent est tombé depuis quelques minutes. Peu à peu, le brouillard les enveloppe complètement.
– Oh, oh ! s'exclame Élie. On ne voit plus la rive.

Tout autour d'eux s'étend un vaste manteau blanc, lourd, apeurant. Et le silence…
Quel silence !
– Comment se diriger dans cette purée de pois ? demande Joé.
Élie tend son bras devant lui.
– Je ne vois même plus ma main… C'est dangereux. On n'a plus de repère.
Pendant ce temps, sur la rive, Papa et Maman, très inquiets, crient et crient encore. Ils crient à en perdre la voix.
– Élie, Joé ! Éliiiiiiiiiiiie ! Joéééééééééé ! Éliiiiiiiiiiiie ! Joéééééééééé !

Mais les deux garçons n'entendent pas. Le courant entraîne doucement la chaloupe. Mais dans quelle direction ? Vers la rive et le chalet ou au contraire, plus loin encore de l'autre côté du lac ?
Les deux jeunes pêcheurs ne savent plus du tout où ils sont.

Élie cherche alors quelque chose pour faire du bruit. Mais ils n'ont emporté que des jus de fruits en boîte. Ça ne sert à rien de les cogner l'une contre l'autre, le carton ne fera jamais assez de bruit pour percer ce grand silence.
– Mamaaaaaaan ! Papaaaaaaaaaaa ! crie Élie, sans succès.

Tout à coup, un cri aigu se fait entendre. Là, droit devant ! Groiiiiiin !
– Oh, oh ! Qu'est-ce que c'est ? demande Élie. Hé, oh ! Y a quelqu'un ? Hé, oh ! On est là ! Hé, oooooooooooh !

Un cri strident lui répond. Un cri déchirant. Un cri qui fait peur. Groiiiiiin !

– Misère, on dirait qu'on égorge un cochon ! fait Joé.

– Ou alors, quelqu'un a marché sur la queue d'un chien ! ajoute Élie. Mais, c'est impossible, nous sommes en plein milieu du lac…

– Et si c'était un loup ? murmure Joé.

– Un cochon ou un loup… de toute façon, ça ne sait pas naviguer ! chuchote Élie.

Mais déjà le silence est revenu. La brume est toujours aussi épaisse. Les deux garçons sont assis dans la chaloupe. Ils attendent. La peur donne la chair de poule à Élie. Joé, lui, a le front couvert de sueur.

Brusquement, le cri retentit de nouveau… Groiiiiiin ! Groiiiiiin ! Groiiiiiin !

– Je suis sûr que c'est un cochon ! reprend Élie. Peut-être qu'on approche d'une ferme…

Et une fois encore, le même cri reprend. Groiiiiiin !

– Il faut se diriger par là, fait Élie. Les cochons, ça ne va pas sur les lacs… il doit y avoir une ferme !

Élie et Joé plongent chacun leur aviron dans l'eau. **Clap ! Clop ! Clap ! Clop !** font les rames.

C'est de nouveau le silence. La **brume** semble même plus épaisse.
– On s'est peut-être trompé ! dit Joé.

À ce moment-là, un cri perçant leur écorche les oreilles. Cette fois, le son est beaucoup plus près.
Groiiiiiin !
– Élie ! Arrête, arrête ! crie soudain Joé. C'est peut-être des pirates qui veulent nous attirer dans un piège. On n'a pas pensé aux pirates… Vite, vite, marche arrière. Si c'est des pirates, on est cuits !
– Wow ! Des pirates ?! T'as vraiment beaucoup d'imagination, toi ! s'exclame Élie. J'ai jamais vu de pirates sur ce lac… Allez, rame ! **Clap ! Clop ! Clap ! Clop !**

Les deux garçons **rament, rament, rament…** sans parvenir à la rive. Les cris se poursuivent de plus belle. Ils semblent plus proches.

Finalement, la **brume** commence à s'effilocher. Ils voient d'abord un gros rocher qui brille sous un rayon de soleil. Ils dirigent la chaloupe dans cette direction et rament un peu plus fort. **Clap! Clop! Clap! Clop!**

Peu à peu, ils distinguent des arbres, et enfin la rive… Et sur la rive, Papa, Maman et un monsieur qui tient un gros cochon en laisse.
– Mais, je le reconnais! s'exclame Élie. C'est le monsieur qui a une ferme, un peu plus loin, dans le village.

À ce moment-là, le fermier assène une tape sur les fesses du porc et celui-ci se met à protester violemment… **Groiiiiiin!**

Élie et Joé accostent enfin. Papa et Maman se précipitent vers eux pour les embrasser.

– Ah, nous étions si inquiets… commence Papa, la gorge tout enrouée.

– Mais, Papa, tu n'as plus de voix ! s'étonne Élie.

– À force de crier pour vous appeler… j'en ai perdu la voix. Heureusement, Maman s'est souvenue d'une histoire racontée par sa grand-maman. Il y a longtemps, des marins ont été sauvés par les cris d'un cochon. Alors, elle a eu l'idée de demander à monsieur Follet d'amener le sien pour l'utiliser comme **corne de brume** !

– Ha, Ha ! Voilà un nom qui lui va bien à ce cochon. Désormais, on va l'appeler **Corne de brume** ! répond Élie, en appliquant une grosse bise sur le nez de son sauveur qui fait : Groiiiiiin ! Groiiiiiin ! Groiiiiiin !

Corne de brume

Ce conte est adapté de « Deux histoires de brume pour marins d'eau douce » de Jean-Aubert Loranger (1896-1942), dans *Les Contes de La Patrie – Les Contes de Joë Folcu.*

De tout temps, les marins ont toujours inventé des contes et des histoires, une façon pour eux de tuer le temps lorsque les conditions ne se prêtaient pas à la navigation. Et la brume fut sans aucun doute l'une de leurs sources d'inspiration privilégiées. Il peut se passer tellement de choses mystérieuses derrière ces voiles de brouillard.

Une corne de brume est un instrument qui émet des signaux sonores pour signaler un danger (récifs, rochers affleurants, etc.). On l'emploie pour signaler sa position lorsque les conditions météorologiques sont difficiles, notamment en cas de brume. Autrefois, fabriquée en vraie corne, puis en laiton, elle est maintenant faite de plastique alimentée par une cartouche de gaz comprimé.

La danse de Rose Latulipe

Ce soir, c'est l'Halloween. Pour fêter l'événement, une grande fête est organisée dans le village. Tous les amis d'Élie sont là. Comme il se doit, tout le monde est déguisé. Soudain dans la foule, Élie voit une belle jeune fille. Elle est gracieuse comme une libellule. Elle est légère comme un papillon. Elle est éblouissante comme une luciole. Elle danse, elle rit, elle s'amuse. **Danse, belle libellule. Danse, joli papillon. Danse, mignonne luciole.**

– Qui est-ce ? demande Élie à son cousin, Simon.

– Je ne sais pas ! On dirait qu'elle vient de l'ancien temps. As-tu vu son costume ? Sa robe ressemble à celles que portait Grand-mère dans sa jeunesse. Je vais l'inviter à danser !

– Ne fais pas ça, malheureux ! crie son ami Patrick, en retenant Simon par le bras. Je la connais, elle s'appelle **Rose Latulipe.** Elle est condamnée à danser pour l'éternité.

– Quoi ?! s'étonnent en chœur Élie et Simon.

– Oui ! Surtout, ne vous approchez pas d'elle. **Rose** a dansé avec le diable et doit en payer le prix pour le reste de sa vie.

– Tu dis n'importe quoi ! fait Simon, en tentant de rejoindre la danse.

– Je te le jure ! reprend Patrick, en le retenant encore plus fermement. Tiens, je vais vous raconter son histoire.

« Ça se passe il y a très longtemps. Au début du XVIIIe siècle. **Rose** habite dans une superbe maison, avec vue sur le fleuve. Elle est très heureuse. Son père l'adore et la gâte beaucoup. En fait, il ne peut rien lui refuser. Donc, comme elle le lui a demandé, il lui organise une grande fête pour Mardi gras.
– Par contre, précise le père, la fête se terminera à minuit, car demain c'est mercredi des Cendres. Et ce jour-là, c'est un jour de pénitence. Il faut alors prier, jeûner et cesser de s'amuser.
– Promis ! dit **Rose**.

Donc, continue Patrick, la soirée se déroule bien. Tout le monde s'amuse. Elle danse comme une petite libellule, **Rose**. Elle virevolte comme un joli papillon, **Rose**. Elle brille comme une mignonne luciole, **Rose** ! C'est vraiment une très belle fête.

Tout à coup, la sonnette de la porte d'entrée retentit.
– Qui peut bien arriver à cette heure-ci, se demande M. Latulipe en ouvrant la porte.

Sur le perron se tient un garçon aux longs cheveux noirs. Il a aussi des yeux noirs, très profonds et très luisants. Et il est tout vêtu de noir…
– Excusez-moi, je suis un peu en retard ! dit le jeune homme. Puis-je entrer pour la fête ?
– Bien sûr, répond M. Latulipe. Tout le village est invité. Les amis de **Rose** sont tous là. Viens, mon garçon ! Amuse-toi !

Le garçon entre dans le salon et se dirige vers **Rose**.
– Veux-tu bien m'accorder cette danse ?

Rose regarde l'étranger. Elle ne l'a jamais vu auparavant.

Qui a bien pu l'inviter ? Il accompagne peut-être une amie. Oh, et puis, après tout, plus on est de fous, plus on rit, se dit-elle.

Rose tend sa main au garçon. Aussitôt, il l'entraîne dans une danse endiablée. **Et danse, belle libellule. Et virevolte, joli papillon. Et brille, mignonne luciole.** L'étranger est vraiment bon danseur, le meilleur de tous les invités. Rose s'amuse beaucoup. **Et danse, belle libellule. Et virevolte, joli papillon. Et brille, mignonne luciole.**

Mais minuit approche. La fête va bientôt se terminer.
– Tu dois partir maintenant, dit **Rose** au bel étranger.
– Dansons encore un peu ! insiste-t-il.
– Non, non. J'ai promis ! La fête est finie, réplique **Rose**.
– Oh, c'est tellement difficile de te quitter, continue l'étranger. Tu es si jolie. Je crois que je suis amoureux de toi. Veux-tu de moi pour l'éternité ? Si tu me donnes la main, plus rien ne pourra nous séparer.

Rose hésite. Le garçon est tellement charmant, tellement galant. Elle lui tend la main. Mais au moment où ses doigts frôlent ceux du garçon, elle sursaute. Elle a ressenti comme un picotement. Elle retire sa main. Elle remarque une petite goutte de sang au bout de son doigt.
– Aïe ! C'est toi qui m'as fait ça ? demande-t-elle.
Mais l'étranger lui sourit et change de sujet de conversation.
– Regarde, lui dit-il, en sortant un beau collier d'or et de perles de sa poche. C'est pour toi. C'est un cadeau…

Rose hésite. Le cadeau est très beau. Trop beau.
– Je ne peux pas accepter, lui répond-elle. D'ailleurs, mon père m'a offert ce bijou.
Elle montre son cou. Elle porte un petit collier de perles de verre avec une petite croix en argent.

Le jeune homme se montre très insistant. **Rose** ne sait vraiment plus comment se débarrasser de lui. Elle trouve refuge auprès de son père.
– Ah, toi ! Espèce de petit diable ! gronde le papa. Cesse d'importuner ma fille. File d'ici…
– **Rose** m'a donné une goutte de son sang ! Elle est à moi pour la vie…
– Veux-tu filer gredin, s'emporte le père. Et il pousse l'étranger vers la sortie.

– Elle m'a donné une goutte de sang. Elle dansera avec moi pour l'éternité, ricane le jeune homme en s'éloignant. Ne m'avez-vous donc pas reconnu ? Je suis le diable… »

– Et voilà, conclut Patrick. Depuis ce temps-là, **Rose** est condamnée à danser avec le diable pour l'éternité.

Élie et Simon sont figés de stupeur. Patrick en profite alors pour s'approcher de la jeune fille.

– Bonjour. Veux-tu danser avec moi ?

Elle lui sourit et lui tend la main.

– Ah, il m'a bien eu ! marmonne Simon. On a écouté son histoire de diable, et maintenant, c'est lui qui danse avec la plus belle fille de la fête !

Et danse, belle libellule. Et virevolte, joli papillon. Et brille, mignonne luciole.

Rose Latulipe

La légende de Rose Latulipe compte près de deux cents versions différentes tant au Canada qu'en Europe, portant parfois les titres de *Diable à la danse*, du *Beau danseur*, du *Bel Étranger*, ou de *La Danse à Saint-Ambroise*.

Autrefois, les danses étaient vues comme des événements propices à attirer le diable. Ces légendes devaient inciter les jeunes à éviter les excès.

La légende de Rose Latulipe, pour sa part, serait née vers 1700, au village de Cloridorme, en Gaspésie. La version présentée ici est adaptée de celle de Philippe Aubert de Gaspé fils, publiée en 1837.

Pourquoi je m'appelle Élie ?

Élie est en train de prendre son petit-déjeuner avec Maman.
– Maman, **pourquoi je m'appelle Élie ?** demande-t-il.
Maman lui verse son lait au chocolat.
– Pourquoi poses-tu cette question ?
– Comme ça ! Je veux savoir d'où vient mon prénom ?
– C'est en l'honneur de ton arrière-arrière-arrière-grand-père, Élie Sanfaçon, répond Maman.
– Oui, mais pourquoi ? insiste Élie.

Maman pose la tasse de lait devant Élie et s'assoit en face de lui.
– Élie Sanfaçon était fermier. Il avait de très belles qualités, mais surtout c'était un très bon marchand de bétail. Il revenait toujours du marché aux bestiaux avec ses poches pleines d'argent. Élie avait une belle terre, un beau troupeau de vaches, une grande étable, une belle maison et une vieille grange. Il était très prospère. Malheureusement, un jour la foudre tomba sur sa ferme et réduisit tout en cendres : récolte, animaux, étable, outils et même sa maison.
– **Pauvre Élie !** soupire Élie.

– Élie était désespéré. Il se pensait ruiné, poursuit Maman. Il ne lui restait plus rien en dehors de sa vieille grange vide et des vêtements qu'il avait sur le dos. Élie avait commencé à se lamenter et même à invoquer le diable. Et justement, à force d'être appelé, un jour, le diable se manifesta. Il dit à Élie qu'il avait entendu ses lamentations. Il venait lui proposer un marché. En entendant ce mot-là, Élie fut tout revigoré. Les marchés, c'était sa spécialité. Il avait toujours su les conclure à son avantage. Il écouta la proposition du diable :

« Dans un an et un jour, tu m'appartiendras corps et âme, dit le diable. En échange, moi je te donnerai tout l'**or** et l'**argent** que tu voudras jusqu'à ce jour-là. »

Élie réfléchit quelques secondes, puis soudain son visage s'éclaira d'un sourire malicieux.

« D'accord, monsieur le Diable, je m'engage à vous appartenir dans un an et un jour à trois conditions. D'abord, il faudra remplir ma tuque que voici de pièces **d'or** et d'**argent**. Ensuite, vous devrez faire glisser les pièces dans un trou du toit de ma grange. Et enfin, il faut me promettre que vous ne vous montrerez pas pendant un an et un jour, pour que je puisse profiter tranquillement de l'argent versé. Si je vous aperçois, même un petit bout de queue, notre marché sera rompu. »

Le diable accepta en ricanant : « **Prépare ta tuque**, Élie ! »
« Je vous attends demain à l'aube », répondit Élie.

Le diable s'en alla en se frottant les mains de satisfaction. Élie, lui, souriait. Il entra dans la grange, perça un trou dans le toit et attacha sa tuque dessous. Cependant, il avait pris soin de découdre le fond de son bonnet et d'y installer deux ficelles de manière à pouvoir l'ouvrir et le fermer à sa guise.

Comme prévu, le diable arriva au lever du soleil. Il se hâta de monter sur le toit, et versa deux gros sacs d'argent dans le trou, juste au-dessus de la tuque d'Élie. Et versa, et versa, et versa ! Des pièces, il en tombait à verse, dans la paille en dessous.

Et Élie tirait sur ses ficelles ! Ouvre, ferme, Ouvre, ferme, Ouvre, ferme ! « Ah ça, par le diable ! » fit le diable, bien étonné de voir que deux sacs ne suffisaient pas à remplir la tuque.

Il alla chercher cinq sacs de plus. Et versa, et versa, et versa dans le trou au-dessus de la tuque, mais encore une fois, Élie le rusé joua avec ses ficelles : Ouvre, ferme, Ouvre, ferme, Ouvre, ferme !

Le diable passa la main dans le trou et constata que la tuque demeurait vide. Il revint avec plusieurs dizaines de sacs. Et versa, et versa, et versa. Élie tirait sur les ficelles. Ouvre, ferme, Ouvre, ferme, Ouvre, ferme !

Toute la journée le diable transporta des sacs d'argent, mais jamais la tuque ne fut remplie. Le lendemain encore, il versa, il versa, il versa. Puis, il eut un doute. Surtout qu'Élie chantonnait : « Bon diable, bon diable ! Verse, verse dans ma tuque, des écus, des écus, des écus. Cherche, fouille, reluque. Tiens ! Ils ont disparu. »

Voyant que la tuque ne se remplissait pas, le diable se mit en colère. Mais Élie l'avait averti : « Si jamais, vous entrez dans la grange et que je vous vois, monsieur le Diable, le marché sera rompu. »

Le malin eut beau se démener comme un beau diable... rien à faire. La tuque ne se remplissait pas. Finalement, le diable s'avoua vaincu et dut accepter qu'Élie était plus rusé que lui.

Lorsque le diable fut parti, Élie ramassa son argent. Il s'en servit pour reconstruire sa maison, son étable, pour réparer sa grange et s'acheter un petit troupeau de vaches et de moutons. Par contre, il prit soin de ne plus jamais conclure de marché avec personne. Celui qu'il avait fait avec le diable fut son dernier. Souvent, le soir, on entendait Élie chanter dans sa maison :

« Vieux diable, vieux diable. Regarde donc dans ma tuque ! Les vois-tu ? Tes beaux écus, beaux écus ? Ils n'y sont plus. »

– Bravo, arrière-arrière-arrière-grand-père ! fit Élie en battant des mains. Tu as été plus intelligent que le diable ! Je suis très fier de porter ton prénom...

Pourquoi
je m'appelle Élie ?

Ce conte a été publié pour la première fois dans *Les Contes de tante Rose, Contes du bon vieux temps pour les enfants*, sous la plume d'Adélard Lambert (1867-1946). Le héros portait alors le nom de Jacques Rusot. L'auteur aurait recueilli ce conte d'origine canadienne française aux États-Unis.

Les légendes mettant en scène des pactes avec le diable sont fort nombreuses, et ce, dans de nombreuses cultures. Les personnages peuvent vouloir le bonheur, l'amour, la beauté, la jeunesse éternelle, mais souvent les pactes sont conclus en échange d'argent. On a trouvé des légendes du même type remontant au Ve siècle.

Le pont de Québec

« Trouvez une légende québécoise et écrivez-la dans vos propres mots » a dit l'enseignante.

Élie gratte son épaisse tignasse. Il se demande bien quelle histoire il va pouvoir présenter. Il prend le téléphone et appelle Grand-père pour lui exposer son problème.

– Grand-père, toi, tu connais plein de contes et de légendes. À ton avis, laquelle dois-je écrire ?

– Pourquoi pas une de celles qui courent à propos du **pont de Québec**, suggère Grand-père.

– Quelle bonne idée ! Mais laquelle choisir ?

– Tu peux parler de la rumeur qui prétend que des morceaux du pont ont servi à forger des bagues d'acier pour les futurs ingénieurs, afin de leur rappeler leurs responsabilités. L'anneau est rugueux au début, et c'est avec le temps qu'il se polit, par le travail, et l'expérience qui vient avec l'âge…

– Ce n'est pas assez **fantastique**, Grand-père !

– Tu pourrais alors parler du boulon d'or que l'on prétend avoir fixé quelque part sur la structure lors de sa construction.

– Je veux quelque chose de plus **mystérieux**, répond Élie.

Grand-père s'amuse à le faire patienter.

– Alors, je ne vois qu'une seule histoire… celle du **mystérieux ingénieur…** Tu veux que je te la raconte de nouveau, pour te rafraîchir la mémoire ?

– Oui, oui ! Je veux bien !

Grand-père raconte alors la légende à Élie.

Aussitôt que Grand-père a fini, Élie se précipite sur son ordinateur et commence à écrire. « Il paraît que le **pont de Québec** a été construit par le diable en personne. Il s'était déguisé en ingénieur.

La construction du **pont** commence mal. Il y a plusieurs accidents qui causent la mort d'environ une centaine d'ouvriers. Certaines personnes se mettent à dire que le **pont** est maudit.

Un jour, un personnage bizarre vient trouver le contremaître. Il lui dit qu'il est ingénieur et il ajoute que le **pont** sera terminé sans plus aucune catastrophe, à une condition : il réclame l'âme du premier être qui franchira le **pont**.

Le chef du chantier ne croit pas trop aux maléfices et aux légendes, alors, pour se débarrasser de ce personnage bizarre, il accepte.

Les travaux reprennent et cette fois tout se passe très bien. Arrive le jour de l'inauguration. Tout à coup, au bout du **pont**, le contremaître voit l'homme bizarre qui lui sourit avec un air étrange. Il se souvient de ce qu'il a promis. Il court chez lui – il habite tout à côté du **pont** – prend son gros chat noir et revient. Ouf, juste à temps ! Les discours sont finis et les politiciens sont en train de couper le cordon d'inauguration. Avant que quiconque puisse passer sur le **pont**, le contremaître fait avancer son chat…

Mais, arrivé au milieu, pfff ! le chat disparaît subitement ! Le contremaître court à cet endroit-là et ne trouve plus qu'un petit tas de poils. Il comprend aussitôt que c'est le diable, déguisé en ingénieur, qui a pris le chat. On dit aussi qu'il mijote toujours sa vengeance… Moi, je pense que c'est pour ça qu'aujourd'hui on ne peut plus rouler sur ce pont-là !

Voilà, j'espère que vous avez aimé mon histoire.

Élie »

Le pont de Québec

Le pont de Québec est un pont ferroviaire et routier qui enjambe le Saint-Laurent entre Québec et Lévis. La construction du pont débuta en 1903. Toutefois, en raison d'erreurs de calcul, le pont s'écroula avant son parachèvement le 29 août 1907. Une centaine d'ouvriers s'y trouvaient et soixante-seize d'entre eux furent tués.

Le pont fut reconstruit, mais une nouvelle catastrophe se produisit le 11 septembre 1916, emportant treize personnes. Les gens des alentours commencèrent à croire qu'il était maudit. Le pont fut finalement inauguré le 22 août 1919.

Depuis 1987, le pont est classé monument historique et, depuis 1996, il est inclus dans la liste des lieux historiques nationaux du Canada. Toutefois, depuis 2005, le pont de Québec est interdit à la circulation.

La légende d'une construction de ponts par le diable est assez répandue dans le monde. Dans l'imaginaire collectif, seul le diable pouvait construire de telles merveilles. Plusieurs ponts d'ailleurs portent le nom de pont du Diable, on en dénombre une bonne vingtaine en France, quelques-uns en Espagne, en Suisse, en Turquie, au Japon, en Colombie et aux États-Unis.

Les lutins

Élie aime beaucoup les animaux. Il possède un cheval appelé **Cabriole**. Il est en pension chez Grand-père, avec Clémentine, la jument de son ami Joé. Ce matin, les deux garçons sont tout excités. C'est leur première promenade de l'année. Ils se rendent à l'écurie. **Cabriole** est dans son box, tout beau, tout propre. Sa robe est bien brossée, sa queue et sa crinière sont bien tressées. Il brille comme un sou neuf.

– Oh, oh ! Tu vois, Joé, dit Élie à son ami, Grand-père est vraiment gentil. Il a préparé mon cheval.

– Tu es chanceux ! Moi, je dois le préparer moi-même, soupire Joé en se saisissant d'une brosse pour nettoyer Clémentine.

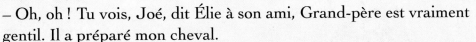

Pendant ce temps, Élie installe une selle sur le dos de **Cabriole**, lui met son mors puis en le tirant par la bride, il le sort dans la cour. Joé continue de bichonner Clémentine.

À ce moment-là, Grand-père arrive dans la cour, devant l'écurie.

– C'est très bien, Élie ! félicite Grand-père. Tu as bien préparé ton cheval avant de partir. **Cabriole** est très beau !

– Quoi ? s'étonne Élie. Mais… mais, je pensais que c'était toi Grand-père qui l'avais pomponné avant mon arrivée.

– Non ! Pas du tout ! répond Grand-père en souriant. C'est ton cheval, c'est ton boulot !

Grand-père rentre à son tour dans l'écurie pour s'occuper des autres montures qu'il garde en pension.

– Je ne comprends pas ! s'exclame Élie. Il y a de la magie là-dessous.

– Hum ! Je dirais plutôt que c'est du travail de lutins, ça ! fait Joé en le rejoignant.

Il examine la crinière bien entortillée de Cabriole. Il n'y a que les lutins pour faire de si belles tresses.

– Des lutins ? s'écrie Élie, en ouvrant de grands yeux.

– Oh oui, des lutins ! fait Joé. Mon père dit qu'ils aiment beaucoup les chevaux. Quand ils se lient d'amitié avec un cheval, tu peux être sûr que sa mangeoire sera toujours pleine, que son poil sera bien brossé… Tiens, regarde ! Ces tresses-là, dans la crinière de Cabriole, il n'y a pas un palefrenier qui peut en faire une comme ça ! C'est du travail de lutins ! Et puis, les lutins, ça aime bien jouer des tours. Je suis sûr qu'il y en a un dans le coin qui veut s'amuser.

Élie sourit, hoche la tête et monte sur le cheval. *Grand-père n'a pas voulu me le dire devant Joé, mais je suis sûr que c'est lui qui s'est occupé de mon cheval, pense Élie.*

Cabriole et Élie s'éloignent pour leur promenade. Mais au bout d'une petite demi-heure, Élie constate que Cabriole est très fatigué… comme s'il avait couru toute la nuit. Élie le ramène donc à l'écurie.

La semaine suivante, la même chose se reproduit. Cabriole est tout frais nettoyé, tout luisant, mais pourtant, il est épuisé après une demi-heure de sortie. Inquiet, Élie demande à Joé ce qu'il en pense.

– J'en pense que les lutins viennent pendant la nuit pour faire des cavalcades avec Cabriole. Puis, pour que rien n'y paraisse, ils le nourrissent et le brossent bien. Et lorsque toi, tu veux partir en promenade, eh bien Cabriole est fatigué.

– Ah ! Je vais en avoir le cœur net ! répond Élie. La fin de semaine prochaine, je serai là avant eux.

Ce soir-là, Élie et Joé s'installent derrière des bottes de paille, dans un coin de l'écurie. Ils sont bien décidés à y passer la nuit pour surprendre les lutins.

– Chut ! J'entends un bruit ! fait Élie.

Effectivement, une planche vient de craquer. **CriC ! craC ! CroC !** Les deux garçons ouvrent grand les yeux. Joé a les mains glacées. Élie ne se sent pas bien brave non plus. Tout à coup, ils voient une planche du box de **Cabriole** qui s'écarte en grinçant. **Grin ! Grin ! Grin !**
– C'est peut-être un raton laveur ! murmure Joé.

La planche craque de nouveau. **CriC ! craC ! CroC !** Puis, elle se remet en place. Élie pense qu'il a rêvé, mais ne dit rien. De la main, il fait signe à Joé de se taire. Les deux garçons demeurent aux aguets.

Tout à coup, voilà la planche qui remue encore. **Grin ! Grin ! Grin !**
– T'as vu ? demande Élie.
– Quoi ? fait Joé, en fixant la planche.
– Ben, le morceau de tissu vert, en pointe. Et deux yeux noirs brillants, et le visage grassouillet aux joues rouges.
– Non, ç'a juste bougé ! répond Joé.
– Je te le dis… **y a un lutin**. Il veut entrer dans l'écurie… insiste Élie.

Les deux garçons se précipitent vers la planche. Mais dans son élan, Joé bute dans deux seaux qui traînent dans l'allée. Surpris par le bruit, Joé lâche un cri : « **Aaaaaaaaaaah !** »

Aussitôt, le chapeau pointu disparaît derrière la planche. Élie bondit de sa cachette et court derrière l'écurie. Mais il est trop tard… Il n'y a que Grand-père qui nettoie la cour, en sifflotant avec un petit air malicieux.

Les lutins

Le conte présenté ici est une adaptation de l'histoire « Les Lutins » de Louis Fréchette (1839-1908) dans *Les Contes de Jos Violon*.

Le lutin est une créature légendaire de petite taille, beaucoup plus petite que celle des nains. Il est généralement malicieux et joyeux. Les lutins sont issus du folklore breton. Le mot « lutin » serait apparu pour la première fois en français en 1564.

Il existe des lutins domestiques, donc vivant dans les maisons et d'autres, sauvages, vivant dans la nature. Les lutins domestiques préfèrent les fermes et vivent surtout dans le grenier, le cellier, le four à pain et au moulin. Ils sont plutôt actifs la nuit : font la vaisselle, récurent les chaudrons, remettent de l'ordre dans la maison, balaient, vont chercher de l'eau au puits, bref, ils prennent soin du foyer.

Le sorcier d'Anticosti

Pour les vacances, Papa, Maman et Élie font une belle croisière sur le Saint-Laurent.

Un soir, alors que la nuit est déjà tombée, ils arrivent tout près de l'île d'Anticosti.
– Chou… hou… hou… hou ! siffle le vent sur le fleuve Saint-Laurent.

Soudain, Élie remarque des lumières étranges au loin.
– Oh, oh! Vite, regardez ! Les étoiles se baignent dans le fleuve.

Papa et Maman s'approchent. Au large, on voit des lueurs danser sur l'eau.
– C'est des feux follets ? demande Élie.
– Hum ! Plutôt le fantôme du sorcier d'Anticosti qui vient nous saluer, lance Maman, avec un petit sourire.
– Un sorcier ? C'est quoi cette histoire ? Tu ne me l'as jamais racontée ! dit Élie.
– Attends que je rassemble mes souvenirs, fait Maman. Ta grand-mère me la racontait souvent quand j'avais ton âge.

« Ça se passe, il y a très longtemps… Il y a un homme qui s'appelle **Louis-Olivier Gamac**he. Il est plutôt malcommode. Il ne veut pas qu'on le dérange, alors il s'installe, tout seul, dans l'**île** d'**Anti**costi. »
– Oui, ça me revient aussi ! ajoute Papa.

« De temps en temps, **Gamac**he visite les Montagnais sur la Côte-Nord pour faire du troc. Mais pour ça, il doit traverser une zone difficile du fleuve…

Celle qui est contrôlée par les marchands de fourrures qui ont des contrats avec la Couronne britannique. Ils chassent les petits bateaux qui ont l'audace de traverser leur territoire, reprend Maman. Mais **Gamac**he est entêté. Il n'accepte pas que les Anglais aient des privilèges pour le commerce des fourrures.

« Un jour, alors qu'il est à Mingan pour faire du troc chez ses amis amérindiens, poursuit Papa, il voit un bateau de la marine royale qui s'en vient droit sur lui. Il comprend qu'il va passer un mauvais quart d'heure si les soldats l'attrapent. Alors, il lève l'ancre. Et comme c'est un bon marin, il parvient à leur échapper.

« Mais **Gamache**, c'est aussi tout un joueur de tours, continue Maman. Il retourne à Anticosti et là, il construit un radeau avec quelques planches. Puis, il attache dessus un baril de goudron et il dépose des tisons enflammés dedans. Ensuite, il envoie le radeau dans le golfe. Puis, il embarque sur son bateau et retourne vers Mingan.

« Il sait bien que les Anglais vont tenter de l'intercepter !

« Tel que prévu, les Anglais en voyant la lumière sur l'eau pensent que c'est le bateau de **Gamache**, alors ils se lancent à sa poursuite. Ils ne voient pas sa goélette qui est en sécurité à Mingan… raconte encore Maman.

« Enfin, les soldats arrivent au radeau… et ils n'aperçoivent plus que quelques planches en train de brûler, continue Papa. De retour à terre, les marins, qui sont assez superstitieux, commencent à raconter que **Gamache** et son navire ont disparu sous leurs yeux sous forme de **feux follets**.

« À cette époque-là, les gens croient qu'un **feu follet**, c'est le diable qui sort soudain de terre en prenant l'apparence d'une flamme. Puis que celle-ci disparaît aussi vite qu'elle s'est formée, ajoute Maman.

« Évidemment, les racontars des marins se propagent comme une traînée de poudre dans le port, complète Papa. Imagine la tête des gens lorsqu'ils voient arriver Gamache et son bateau le lendemain. Plusieurs croient que c'est son fantôme…

« Et d'autres disent que c'est un sorcier, car il a réussi à échapper aux feux follets, c'est-à-dire au diable…, chuchote Maman.

« En tout cas, après cette histoire-là, Gamache a eu la paix dans son île…, termine Papa. »
— Mais parfois, si on tend bien l'oreille, on peut encore entendre des hurlements de fantôme qui tentent de percer le brouillard lorsque le soleil se cache. On murmure que c'est l'esprit du sorcier qui s'est incarné dans chaque arbre et dans chaque pierre pour protéger la tranquillité de l'île. Écoute, Élie !
— Chou… hou… hou… hou ! siffle le vent sur le fleuve Saint-Laurent.

Au loin, les petites lueurs ont disparu.

Le sorcier d'Anticosti

Louis-Olivier Gamache est un personnage réel de l'histoire du Québec. Il est né à L'Islet en 1784. Orphelin, il s'engagea à 11 ans comme mousse dans la marine anglaise. De retour dans sa région natale, sans amis ni famille, il s'établit dans l'île d'Anticosti en 1810, autant pour y avoir la tranquillité que pour s'y livrer en toute liberté au commerce avec les Amérindiens.

Gamache sut entretenir lui-même sa légende de sorcier d'Anticosti ou de croquemitaine du Saint-Laurent. Les habitants de la région rapportaient qu'il pouvait se transformer en sorcier, en ogre, en loup-garou, en feu follet.

Louis-Olivier Gamache vécut pendant 45 ans à Anticosti et la baie où il repose porte dorénavant son nom.

lexis le Trotteur

Élie est en vacances au Saguenay. Dans sa chambre à l'auberge, il a remarqué une peinture étonnante. On y voit un homme avec un corps de cheval, une sorte de centaure. L'artiste a intitulé son œuvre : **Alexis le Trotteur**. Au petit-déjeuner, Élie interroge la propriétaire du gîte sur ce surprenant tableau.

– Ah ! **Alexis le Trotteur**, c'est tout un phénomène, celui-là ! s'exclame madame Lautelière. Un athlète incroyable. Ses prouesses sont connues dans tout le Saguenay et dans tout Charlevoix. Sais-tu qu'il pouvait courir plus vite que n'importe qui ? Tiens, il était tellement rapide qu'il gagnait même des courses contre des trains…

Élie la regarde d'un air sceptique.

– Bon ! C'est vrai que les trains de cette époque-là roulaient bien moins vite que ceux d'aujourd'hui, reprend madame Lautelière. Mais n'empêche, un train, quand même, c'est quelque chose ! Tiens, je vais te raconter l'anecdote la plus connue à son sujet.

« Ça se passe à La Malbaie, dans Charlevoix. **Alexis** a accompagné son père au quai où celui-ci doit prendre un bateau pour aller à Bagotville. **Alexis** insiste pour que son père l'emmène avec lui, mais celui-ci refuse. Alors, très sérieusement, il déclare : "Quand tu arriveras à Bagotville, c'est moi qui attacherai les amarres du bateau." »

– Oh, oh ! s'exclame Élie. Ça, ça veut dire qu'il comptait arriver à destination avant son père…

– Exact, confirme madame Lautelière. Le chemin par la route, entre La Malbaie et Bagotville est d'environ cent cinquante kilomètres. Par le fleuve, le bateau met à peu près douze heures.

« Sans perdre de temps, **Alexis** file à toutes jambes chez lui. Ti-galop, ti-galop, ti-galop ! Quelques minutes plus tard, il sort de sa maison avec une branche sans feuilles. "Allez hue, hue, Poppé !" crie-t-il en fouettant ses petits mollets. »

– Poppé ? demande Élie.

– C'est le surnom qu'il se donne quand il se prend pour un cheval.

« Aussitôt, après qu'il a prononcé ces mots-là, ses jambes se gonflent. Ses mollets se raidissent. Ils deviennent aussi puissants que ceux du meilleur cheval de course. Puis, **Alexis** se lance au galop, au triple galop même. Ti-galop, ti-galop, ti-galop ! Ses longs cheveux blonds lui font comme une crinière flottant au vent.

Imagine ! **Alexis** va tellement vite que les fleurs sauvages sont fauchées sur son passage. Il déplace tellement d'air qu'elles se forment toutes seules en bouquets. Dans les champs, la paille roule, tourneboule et se retourne. Et pouf ! Des ballots de foin tout ronds. »

Élie sourit. Madame Lautelière en rajoute un peu, mais c'est amusant !

« Lorsque le bateau arrive à Bagotville, **Alexis** est déjà là. Il a réussi
à courir la distance en moins de douze heures. »
– Wow ! s'exclame Élie. Il aurait dû participer aux Jeux olympiques.
– Il aurait sûrement gagné, confirme madame Lautelière.

« Mais **Alexis** est un peu bizarre. Il n'accepte pas toujours
les défis qu'on lui lance. Parfois, il refuse de courir et personne
ne peut savoir pourquoi. Et en d'autres occasions, il rigole
en disant : "Personne ne peut courir plus vite que moi.
Je suis le Cheval du Nord. Je suis sûr que c'est par erreur
si je suis né sous une forme humaine, car en vérité,
je suis le meilleur trotteur du monde." Alors, on a fini
par le surnommer **Alexis le Trotteur**. »

Alexis le Trotteur

Alexis Lapointe est un véritable personnage de l'histoire du Québec. Il naquit le 4 juin 1860, à La Malbaie, dans Charlevoix. Au cours des années, il voyagea au Saguenay-Lac-Saint-Jean, dans la Matapédia et aux États-Unis.

Il était renommé autant pour sa vitesse à la course que pour ses exploits de sauteur et de danseur. Par contre, sur le plan intellectuel, on le disait un peu simple d'esprit. C'étaient souvent des propriétaires de chevaux qui invitaient Alexis à courir contre leurs meilleurs trotteurs. Parfois il acceptait, mais pas toujours. Par contre, s'il courait, il remportait toujours la victoire. Il avait aussi pris l'habitude d'affronter des bateaux et des trains (les chevaux de fer comme on disait à l'époque).

La mort d'Alexis Lapointe est survenue en 1924 au Lac-Saint-Jean. Il aurait été frappé par un train.

Les loups-garous

La brume est épaisse. Elle recouvre tout le lac Saint-Pierre. Élie et Papa reviennent de la pêche en chaloupe. Le chalet n'est plus loin, mais il faut se presser. La nuit vient tout juste de tomber. « Vroum ! Vroum ! Vroum ! » fait le moteur de la chaloupe. « Hou ! Hou ! Hou ! » répond une chouette dans la forêt.

– Là, Papa ! Regarde ! Des yeux rouges… ! crie Élie.

Il pointe son doigt vers la rive, non loin de l'endroit où ils doivent accoster.

Papa étire le cou. La brume est si épaisse. Il ne voit pas grand-chose.
– Mais si, insiste Élie. J'ai vu des yeux rouges… tout brillants, tout méchants !
– Hum ! C'est sûrement des lucioles…, répond Papa.
– Mais non, regarde bien ! Il y a quelqu'un. Oh non ! Je vois des têtes et des queues… de loups !

Des flammes montent dans le ciel et le colorent de rouge.
– Mon Dieu, j'espère que ce n'est pas un incendie de broussailles ! s'exclame Papa.
– Penses-tu que c'est des loups-garous ? insiste Élie.
– Des loups-garous ? fait Papa tout étonné. Pourquoi penses-tu à ça ?
– Hier soir, j'ai lu une histoire de loups-garous. On dit que ce sont des humains qui ont subi une malédiction. Les nuits de pleine lune, ils peuvent retourner leur peau et montrer leurs poils qui poussent par en dedans et se changer en loups. Ils aiment se réunir autour d'un feu avant de partir à la chasse.
– Non, non… rassure-toi, fait Papa. Les loups-garous n'existent que dans les livres. Je suis certain qu'il y a une bonne explication…

Papa arrête le moteur de la chaloupe. Le courant pousse la barque lentement vers la rive. La fumée se mélange à la brume.

– Tu vois, en montant vers le ciel, la fumée crée des formes étranges, explique Papa. Tu as peut-être cru voir des queues de loups, alors que ce ne sont que des spirales de fumée…

– Moi, je suis sûr que j'ai vu quelque chose de bien réel, et en plus ça bougeait ! répète Élie.

Des grognements et des cris leur parviennent de la forêt.

– Tu vois ! Je te l'avais dit…, poursuit Élie, en se faisant tout petit au fond de la chaloupe.

– Hum ! C'est étrange. Il y a peut-être un ours qui rode autour du chalet. Je vais l'effrayer.

Papa regarde autour de lui, dans la chaloupe. Il ne voit que leurs bouteilles thermos vides qui reposent sur leurs sacs à dos. Il s'en empare et se met à les cogner l'une contre l'autre, très fort et très vite pour faire du bruit. Le plus de bruit possible.

À la lumière des flammes, des formes s'animent. Des cris montent. Papa cogne encore plus fort les deux bouteilles de métal l'une contre l'autre. Paf! paf! Paf!

Les cris cessent aussitôt. Des branches craquent dans la forêt. Papa échoue la chaloupe sur la plage.

« Hou ! Hou ! Hou ! » proteste la chouette dérangée.

– Élie, as-tu le trèfle à quatre feuilles que tu as trouvé ce matin sur la rive ? demande Papa.

– Oui, oui ! répond Élie, en sortant la feuille toute ratatinée de la poche de son manteau.

– Très bien. Le trèfle à quatre feuilles, en plus d'être un porte-bonheur est une plante qui protège contre les mauvaises énergies. Vite, brandis-la devant toi ! Et suis-moi ! Chut ! En silence !

Papa avance à pas de loup sur la rive. Élie sort de la chaloupe. Il tient son trèfle à quatre feuilles à bout de bras, droit devant lui, comme un bouclier. Papa est là, Élie n'a pas peur. Et puis maintenant, tout est calme.

Papa et Élie s'approchent du feu. Les flammes sont en train de mourir. Tout autour de l'âtre, Élie voit des traces de pieds nus dans la terre humide et des empreintes de pattes d'animal.
– Ah ! Je le savais bien, fait Élie, en serrant son trèfle contre lui.
– Rentrons au chalet, dit Papa. Il fait sombre maintenant. Mais demain, promis, je mènerai ma petite enquête. Je suis sûr qu'il y a une bonne explication.

Les loups-garous

Sept contes mettant en scène des loups-garous sont recensés au Québec. Celui qui est présenté ici est adapté du conte *Loup-Garou* d'Honoré Beaugrand (1848-1906) publié en 1900 dans *La Chasse-galerie, légendes canadiennes*.

Un loup-garou ou un lycanthrope est, dans les légendes, un homme qui se transforme en tout ou en partie en loup ou en créature ressemblant à un loup.

La métamorphose peut être provoquée par une morsure de loup ou d'un autre loup-garou, par une malédiction ou par une transformation volontaire.

On trouve des histoires de loups-garous dans le folklore de nombreux pays européens. Le mot « loup-garou » vient du vieux français *leus warous* (homme-loup). En anglais, on trouve *werewolf*.

La première légende connue mettant en scène un loup-garou est celle du roi d'Arcadia, Licao. Pour avoir tué son plus jeune fils Arcade, il fut transformé en loup par le dieu Zeus.

Le bateau fantôme de Gaspé

– Élie ! Tiens, regarde ! Je t'apporte un petit souvenir de mon voyage d'affaires à Gaspé, dit Papa en ouvrant son sac.

Papa sort une boule de neige à secouer. Élie est bien étonné. À part la neige, il ne voit rien d'autre. Papa l'encourage du regard. Élie secoue la boule : Flouch ! Flouch ! Flouch !
Et là, apparaît peu à peu un trois-mâts qui semble brûler.
– Oh, oh ! Qu'est-ce que c'est ? demande Élie.
– C'est un objet lié à la légende du bateau fantôme de Gaspé, répond Papa.
– Vite, vite ! Raconte-la-moi ! s'exclame Élie, enthousiaste.
– Eh bien voilà ! Les jours de mauvais temps sur la mer, juste devant la ville de Gaspé, on peut parfois apercevoir un grand trois-mâts enflammé qui semble voguer sur les flots. Il s'appelle le Filauvent. Il est manœuvré par un équipage de squelettes.

Élie retient son souffle. **Un bateau fantôme**, c'est impressionnant.

– Certains d'entre eux tentent d'éteindre le feu, mais sans succès, continue Papa. Le commandant de cet étrange voilier s'appelle le capitaine LeNordet. Son équipage et lui sont les victimes d'une malédiction.

– Oh, oh ! Pourquoi on leur a jeté un mauvais sort ?

« Le capitaine LeNordet n'est pas un homme très sympathique. Un jour, il y a bien longtemps, il fait embarquer de braves Micmacs en leur disant qu'il va leur faire faire une belle croisière sur le fleuve. Mais ce n'est pas vrai. Il fait mettre les voiles et **zouh !** direction l'Europe. Et une fois arrivé, il les vend comme esclaves. »

– **Ouach !** Sale bonhomme ! gronde Élie.

– Il pense que ses mensonges ne seront pas découverts. Mais crois-moi, il ne perd rien pour attendre.

« Un matin, le voilà de retour dans la baie de Gaspé, dans le but d'embarquer d'autres Amérindiens. Mais cette fois, les Micmacs ne se laissent pas endormir par ses belles paroles. Ils l'attendent de pied ferme. Lorsque la nuit tombe, les guerriers à bord de leurs canots d'écorce encerclent le navire. Puis, ils commencent à le cribler de flèches enflammées. Parmi eux, il y a le chaman Ulgimoo, c'est un très puissant sorcier. Il dit : "Que la malédiction du Grand Esprit frappe ce navire, et le condamne à brûler pour l'éternité !" »

Depuis ce jour-là, il arrive que l'on voie le navire voguer le long des côtes, juste en face de Gaspé. Et parfois même, à travers la brume, le vent transporte les cris de terreur de l'équipage du capitaine LeNordet.
– Oh, oh ! Tu l'as vu, toi Papa, le bateau fantôme ? demande Élie, en ouvrant de grands yeux.
– Il me semble bien avoir vu quelque chose à travers le brouillard, mais je ne suis pas sûr. Si tu veux, cet été, pour les vacances, nous nous rendrons à Gaspé, et nous scruterons la mer pour apercevoir le Filauvent.

Élie agite de nouveau sa boule de neige dans laquelle le bateau fantôme brûle pour l'éternité.

Le bateau fantôme de Gaspé

La Gaspésie est une région de mer. Les légendes mettant en scène des marins ou des bateaux y sont fort nombreuses. Plusieurs histoires relatant l'apparition de bateaux fantômes figurent au patrimoine gaspésien.

L'une d'elles tire son origine de la bataille de Restigouche. Des navires français auraient été attaqués par des bateaux anglais. Comme la défaite était certaine, les Français auraient incendié leurs vaisseaux pour que les Anglais ne puissent les prendre. Et depuis, ces bateaux continuent de brûler.

La plupart du temps, les légendes de bateaux fantômes naissent à la suite de naufrages qui ont marqué l'imagination populaire. On trouve des bateaux fantômes dans toutes les mers du monde et même dans les Grands Lacs. En Amérique du Nord seulement, on dénombre plus de deux cents fables mettant en scène des bateaux-de-feu.

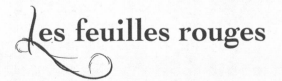

Les feuilles rouges

Crunch ! crunch **! Crunch !** font les pas d'Élie sur les feuilles séchées. Aujourd'hui, c'est classe nature. La forêt est en plein **festival des couleurs**.
– On dit que c'est à cause du changement de température en automne que les feuilles rougissent, explique madame Lafleur. Mais il existe une autre explication… Quelqu'un la connaît-il ?

Comme personne ne répond, madame Lafleur reprend :
– C'est une ancienne légende huronne. Tenez, asseyez-vous, ici, sur les souches. Je vais vous la raconter.

« Autrefois, les animaux et les hommes voyageaient librement entre la terre, appelée la **Grande Tortue**, et le ciel, le domaine de la **Petite Tortue**. Ils montaient et descendaient par le pont de l'Arc-en-ciel. Que ce soit ici, ou là-haut, ils vivaient sans guerre, sans querelle, sans faim et sans soif. Le **Grand Esprit** avait fait en sorte qu'il fasse beau toute l'année. Si bien que les hommes n'avaient pas besoin de chasser les animaux pour se nourrir ou pour se vêtir. La vie était belle. C'était la **Grande Trêve**, car tous vivaient en paix les uns avec les autres.

Un jour, l'espiègle Rat proposa aux oiseaux de jouer à qui volera le plus haut et aux autres animaux à qui courra le plus vite.

Alouette partit la première dans le ciel en turlutant : **Tiou-tiou-tiou**. Faucon, qui était l'arbitre, traça une marque dans le ciel à l'endroit où elle s'était arrêtée avant de redescendre.

Tit-tit-tit-tit ! fit Martin-Pêcheur. **Tsi-tsi-tsi**, ajouta Gélinotte, en se vantant de pouvoir mieux faire. Mais bientôt, on se rendit compte qu'ils en étaient incapables.

Aigle s'élança à son tour, en tournant au-dessus des arbres. À chaque tour, il montait un peu plus, en lançant son **Kié-kié-kié…** Faucon, qui a pourtant de bons yeux, le perdit de vue. Il déclara alors qu'Aigle était l'oiseau qui volait le plus haut. Aigle redescendit sur terre. Quand, bien caché entre ses plumes tout humides d'avoir frôlé les nuages, Roitelet sortit de sa cachette. Il s'ébroua et réclama la victoire : **Ssisssississississsi**, insista-t-il. Il expliqua qu'il avait toujours été au-dessus de celui qui le portait. Faucon le fit taire d'un coup d'aile. Et maintenant, Roitelet a un peu plus de difficulté à monter très haut.

Puis, ce fut au tour des animaux de jouer. Élan, Cerf, Lièvre, Loup, Couguar et Caribou filèrent à toute vitesse. Mais, à la ligne d'arrivée, ce fut toute une surprise : Lièvre fut le premier. Il faut dire que Renard, le petit finaud, avait dit à Lièvre de placer ses frères tout le long du parcours, pour se relayer. Le dernier n'eut donc qu'à sauter devant Cerf pour le battre. Cette fois, c'était Ours qui servait d'arbitre. Ours a la vue basse, il ne pouvait pas distinguer un lièvre d'un autre. Il proclama donc la victoire de celui qui avait franchi le premier la ligne d'arrivée.
Cerf se fâcha : **Broin-oin-oin-oin-oin!**

Sans attendre les autres, Cerf s'en alla en direction du pont de l'Arc-en-ciel pour trouver refuge dans la **Petite Tortue**. Mais Ours, fâché de ce comportement, le suivit pour lui faire part de son mécontentement : **Gron-gron-gron**.

Cerf refusa toute explication. Ses poils se hérissèrent et il fonça sur Ours tête baissée. Ours se défendit de son mieux, mais il fut blessé. Son sang dégoulina sur les feuilles de l'arbre à sucre… Loup vint à sa rescousse et chassa Cerf dans les bois : **Ahouououououououou** !

Depuis, ce jour-là, chaque automne, les feuilles prennent la couleur rouge du sang d'Ours, le premier être qui fut blessé sur la terre. Cela oblige les animaux à se souvenir qu'ils ont mis fin à la paix qui régnait autrefois entre eux. Quant à Cerf, pour sa punition, le **Grand Esprit** a décidé que lorsque les feuilles seront tombées depuis deux lunes, il perdra ses bois… »

Les feuilles rouges

La légende des feuilles rouges est tirée du folklore huron-wendat. Il en existe deux versions.

Dans la seconde, Cerf, trouvant le ciel beaucoup plus beau et plus vaste, voulut quitter la Grande Tortue (la terre) pour rejoindre la Petite Tortue (le ciel). Pour ce faire, sur les conseils de l'Oiseau-Tonnerre, il escalada le pont de l'Arc-en-ciel. Une fois dans la Petite Tortue, il put courir librement. Sur la Grande Tortue, les animaux cherchèrent Cerf partout. Loup parcourut les bois et Aigle scruta le ciel. Là, ils le découvrirent en train de gambader. Tous les animaux décidèrent d'aller le rejoindre, en empruntant le pont de l'Arc-en-ciel. Ours reprocha à Cerf d'être égoïste et de ne penser qu'à lui. Fâché, Cerf provoqua Ours et le blessa de ses bois pointus. Le sang d'Ours tomba goutte à goutte sur les arbres de la Grande Tortue, colorant les feuilles de rouge. Depuis, chaque année, la nature se souvient du combat et revêt ses habits rouges pour rendre hommage à Ours.

Le sirop d'érable

Aujourd'hui, c'est la fête chez Grand-père. Il entaille ses érables. Toute la famille est invitée à déguster le sirop de la nouvelle saison. Tout le monde se sucre le bec... sauf bébé Léo. Mais lui, il ne sait pas qu'il est encore trop petit, alors il proteste bruyamment : Ouin-Ouin-Ouin ! – chut ! Pleure pas, petit frère ! le rassure Élie, en le berçant. Je vais te raconter une histoire.

« Ça se passe bien avant l'arrivée des Européens, dans la Grande Forêt. Un jour, un guerrier iroquois, qui s'appelle Woskis, décide d'aller à la chasse. Il retire son tomahawk qu'il a planté dans le tronc d'un érable, et s'en va. Pendant qu'il est parti, l'entaille dans l'arbre se met à couler goutte à goutte. L'eau d'érable tombe dans un bol en écorce de bouleau que sa femme a oublié là. Ploc ! Ploc ! Ploc !

Le lendemain, la femme récupère son bol pour aller chercher de l'eau. Comme il est déjà plein, elle décide de ne pas se rendre à la rivière. Elle va utiliser cette eau-là pour préparer un ragoût avec la viande du chevreuil que Woskis a chassé.

Lorsque le guerrier goûte au ragoût, il est bien étonné de sa saveur sucrée. La recette est tout simplement délicieuse. Sa femme goûte à son tour. Miam ! Miam ! Miam ! C'est vraiment bon. Woskis en redemande pour le lendemain.

Sa femme retourne au pied de l'arbre et découvre cette fois une famille d'écureuils en train de lécher des morceaux de bois recouverts d'eau d'érable. slurp ! slurp ! slurp !

Elle passe son doigt sur l'entaille et goûte : c'est sucré. Elle comprend alors que cette eau est un cadeau de l'Arbre-qui-pleure. Elle installe de nouveau son bol sous l'arbre et attend qu'il soit rempli.

Plusieurs jours de suite, elle prépare le repas en se servant de cette eau merveilleuse. Mais un soir, comme elle est fatiguée, elle s'endort pendant que le ragoût mijote. ZZZzzZZZzzzZz !

Lorsqu'elle se réveille, elle voit que l'eau s'est transformée en sirop épais et foncé. Elle le remue avec la pointe de son couteau pour en retirer les morceaux de viande qu'elle pense perdus. C'est collant. Elle goûte. Elle n'a jamais mangé quelque chose d'aussi bon de toute sa vie. Hum ! Hum ! Hum ! »
– Gouzi ! Gouzi ! Gouzi ! gazouille bébé Léo, en souriant aux anges. Mais, il ne dort toujours pas.

Maman prend Bébé dans ses bras :
– Bravo, Élie ! Tu es bon conteur ! J'en connais une autre version. Veux-tu que je la raconte ?
– Oui ! Oui ! répond Élie.
– Gouzi ! Gouzi ! Gouzi ! ajoute bébé Léo.
– Alors voilà ! reprend Maman.

« On dit que c'est Nokomis, la grand-mère du guerrier Manabush qui, un jour, perce des trous dans les érables pour en recueillir la sève. Mais Manabush jugeant que ce sirop est tout prêt à déguster dit à sa grand-mère : "Je crains que les hommes deviennent trop paresseux s'ils n'ont qu'à recueillir cette eau pour obtenir du sucre. Il faut leur compliquer un peu la tâche."

Nokomis hoche la tête, sans rien dire. Manabush comprend qu'elle n'interviendra pas. Alors, il grimpe dans un érable et verse un grand seau d'eau à l'intérieur de l'arbre pour diluer la sève. Depuis ce jour-là, il faut travailler fort pour obtenir du bon sirop. Il faut entailler les arbres, fendre du bois pour faire chauffer la chaudière, surveiller la cuisson. Mais cela n'a pas empêché toutes les tribus amérindiennes de se mettre à l'œuvre et de récolter le sirop d'érable et de… »

— ZZZzzZZZzzzZz ! l'interrompt bébé Léo qui vient de s'endormir.

Le sirop d'érable

Chaque nation amérindienne a sa propre version de la découverte du sirop d'érable. La tradition de la récolte de la sève remonte donc bien avant l'arrivée des premiers colons.

La sève commence à circuler dans l'arbre au début mars lui procurant ainsi l'énergie nécessaire pour sa croissance. Les érables produisent une sève abondante et sucrée.

Les premières cabanes à sucre auraient été construites au XIXe siècle. Actuellement, le Québec fournit les deux tiers de la production mondiale de sirop d'érable. Le reste vient de l'Ontario, de l'État de New York et du Vermont.

Il faut de 30 à 40 litres de sève pour faire 1 litre de sirop. Un érable peut donner de 60 à 160 litres de sève par saison selon les conditions climatiques*.

* Source : Les cabanes à sucre du Québec, www.cabaneasucre.org/historique.html

La roche pleureuse

Papa, Maman et Élie sont en visite à l'Isle-aux-Coudres. Il fait beau. Ils se promènent.
Tout à coup, au bout d'un chemin, le regard d'Élie est attiré par un panneau qui annonce
la « Roche pleureuse ».
– Oh, oh ! s'exclame Élie. Je voudrais bien voir ça, une roche qui pleure !
– Eh bien, allons-y ! propose Papa.

Entre les arbres, ils voient bientôt apparaître une pierre au bord d'une source souterraine.
L'eau tombe goutte à goutte de la pierre dans un bassin. Ploc ! Ploc ! Ploc !

Tout à côté, un panneau explicatif raconte la légende.
– Vas-y, Élie ! l'encourage Papa. Lis ce qui est inscrit.

C'est un long texte, mais Élie se sent capable d'aller jusqu'au bout sans bafouiller. Il se racle la gorge
avant de commencer :
« Ce printemps-là fut l'un des plus doux. Le Saint-Laurent fut très vite libéré des glaces et
les bateaux purent reprendre plus tôt leur navigation sur le fleuve. Chaque année, Charles livrait
du bois aux chantiers maritimes d'Europe. Il songea qu'il allait pouvoir bientôt lever l'ancre avec sa
cargaison. Il se rendit donc chez sa fiancée, Louise, pour lui annoncer sa décision. Mais, la jeune
fille n'était pas chez elle. Son père indiqua à Charles l'endroit où elle aimait se réfugier quand
elle était triste. C'était à la pointe de l'île. Charles la trouva assise sur un rocher, au pied
d'un magnifique orme.
– Louise, je te promets d'être de retour au début d'octobre. Nous nous marierons, et nous nous
installerons dans notre belle maison, tout près d'ici, à la pointe de l'île. Ne sois pas inquiète.
Louise hocha la tête et ne répondit rien. Ils s'embrassèrent. Le lendemain, au lever du soleil,
Charles largua les amarres.

Tout l'été, **LOuise** prépara le mariage. Il y avait tant à faire : nettoyer la maison de la cave au grenier, la rendre confortable et gaie ; choisir une belle robe pour le mariage ; envoyer des invitations aux parents et aux amis ; décider du menu de repas de noce. Elle travailla de longues heures pour que l'absence de **Charles** lui pèse moins.

Puis, enfin l'automne succéda à l'été. Dès la mi-septembre, **LOuise** passa tout son temps assise sur la roche, à épier le fleuve. Mais aucun trois-mâts ne bravait les courants. Tous les soirs, elle revenait dans la maison de son père d'un pas traînant et le visage de plus en plus triste.
– Ne t'inquiète pas ! lui disait chaque jour son père. Il a peut-être dû quitter l'Europe plus tard que prévu. Ou le vent ne souffle pas assez fort pour pousser son navire rapidement…

Mais bientôt, ce fut l'été des Indiens. Puis, octobre passa, emportant les outardes vers le sud. L'horizon demeurait tristement vide. Seule, assise sur sa roche, **LOuise** pleurait.

La température se refroidit. La neige commença à tomber lentement. Bientôt, les bateaux ne pourraient plus naviguer sur le Saint-Laurent pris par les glaces. Mais LOuise demeurait là, à fixer le fleuve.

Lorsqu'il fit trop froid pour qu'elle s'installe à la pointe de l'île, elle passa son temps à sa fenêtre à guetter le retour de Charles.

L'hiver fut long, terriblement long. Enfin, de nouveau les glaces fondirent. LOuise retourna vite s'installer sur sa roche. Mai arriva.

Un soir, LOuise ne revint pas à la maison de son père. Après plusieurs heures de recherche, le père se souvint de l'endroit où elle passait toutes ses journées. Il se dépêcha de s'y rendre.

Il découvrit un filet d'eau claire glissant goutte à goutte de la pierre. Elle faisait Ploc! Ploc! Ploc! Le père savait qu'il n'y avait jamais eu de source à cet endroit-là. Il comprit que c'étaient les larmes de LOuise qui couleraient pour toujours.

Elles se mêleraient à l'eau du fleuve, et s'en iraient vers la mer, là où Charles avait péri. Dorénavant, les deux amoureux seraient réunis pour l'éternité. »

– Elle est bien triste cette légende, dit Maman. Mais elle est belle !

– Et Élie a lu tout le panneau sans se tromper une seule fois. Bravo ! ajoute Papa, très fier de son fiston.

La roche pleureuse

L'histoire de Charles et Louise se serait déroulée en 1805, au lieu-dit La Pointe-du-Bout-d'en-Bas, à l'Isle-aux-Coudres, dans Charlevoix. La légende est racontée sur un panneau explicatif mis en place par l'office de tourisme des lieux.

Une légende du Moyen Âge, presque similaire à celle de l'Isle-aux-Coudres, se déroule cette fois à Grancey-le-Château, en Bourgogne (France). Une châtelaine serait morte un jour en attendant son mari parti pour les croisades. Ce dernier, de retour le jour du drame, se mit à pleurer. Depuis, cette roche laisse échapper de l'eau d'orifices ressemblant à des yeux.

La Bête à grand'queue

– Je te jure que c'est vrai, Élie ! dit Pierrick. Je l'ai vue moi-même. C'est une queue poilue, rouge…
Elle est **longue, longue, longue** !

C'est la récréation, Pierrick Desrosiers raconte à Élie qu'il est allé dans un encan avec
son père durant la fin de semaine. Celui-ci y a acheté un objet de légende : la queue
de la **Bête à grand'queue**.

– Ton père t'a raconté des histoires, rigole Élie. Je voudrais bien voir ça !

– D'accord. Après l'école, viens chez moi, je te la montrerai ! le défie Pierrick.

Comme prévu, Élie se rend chez Pierrick. Et c'est monsieur Desrosiers lui-même qui lui montre
l'objet en question.

– Oh, oh ! fait Élie. Elle vient d'où ?

– Ah, c'est toute une histoire ! assure monsieur Desrosiers.
Asseyez-vous, les garçons ! Je vais vous la conter comme
mon grand-père me l'a racontée il y a quelques années.

« Fanfan Lazette et son ami Sem Champagne de Lanoraie s'étaient rendus à Berthier pour y acheter de la mélasse, du fromage, du thé et d'autres provisions. Le soir, après avoir réglé leurs affaires, ils reprennent la route pour rentrer chez eux. À peine parti de Berthier, Sem s'endort dans la carriole. Et même la tempête qui éclate avec fureur ne peut le réveiller. Bang ! Bang ! Bang ! fait le tonnerre. ZZZZzzZZZzzzZz ! ronfle Sem. Le vent siffle : Whouhouhouhou ! Les éclairs illuminent la route… mais Sem continue de roupiller. ZZZZzzZZZzzzZz !

Tout à coup, un grand coup de tonnerre fait trembler la carriole. Bang ! Le cheval a peur et s'arrête. Sem se réveille en sursaut juste au moment où un éclair déchire l'obscurité. Scraaaatch ! Il hurle : "Aaaaaaaah ! La Bête à grand'queue !"

Surpris, Fanfan se retourne. Derrière la voiture, il voit deux grands yeux brillants. Un autre coup de tonnerre : Bang ! Et autre éclair… Scraaaatch ! Et un hurlement, terrible, démoniaque : Meuhouououou !

Soudain, dans la lumière jaune, apparaît une bête, affreuse, qui se bat les flancs avec une longue queue rouge : cl**ap** ! **Clap** ! cl**ap** ! Fanfan n'est pas peureux, mais là, au cœur de la tempête, il prend son courage à deux mains, excite son cheval, et s'enfuit.

Un autre coup de tonnerre… B**ang** ! Un autre éclair… S**craaaatch** ! Sem crie : "**La Bête** nous poursuit. Vite Fanfan, vite !" C'est infernal.

Tout à coup, le cheval prend peur et fait un écart. La carriole part dans les airs. **B**o**ule, d**é**boule, et t**O**urneb**O**ule** ! **Bada**boum-**boum-boum** ! Voici la charrette sens dessus dessous. Et là, tout près, deux yeux féroces… **M**euhou**o**u**O**u**ou** !

Fanfan se tourne vers Sem : "Y a une croyance qui dit que le meilleur moyen de nous débarrasser de ce monstre, c'est de lui prendre sa queue ! C'est ce que je vais faire !"

Fanfan s'élance. Il attrape la bête par la queue et tire, tire, tire de toutes ses forces. La bête saute à droite, Fanfan saute à gauche. À droite, à gauche ! En avant, en arrière ! "Meuhououououou !" gronde la bête. "Aaaaaaaaah !" hurle Sem. Bang ! Bang ! Bang ! fait le tonnerre. Scraaaatch ! ajoute l'éclair. Fanfan, lui, ne dit rien, pas un mot. Il tire, il tire, il tire… Et tout à coup, Scrounch ! La queue lui reste dans les mains.

C'est une longue queue, rouge, avec une boule de poils ébouriffés au bout. La bête pousse un autre hurlement : Meuhououououou ! puis elle disparaît dans l'obscurité.

Peu à peu la tempête se calme et le jour se leve. Fanfan et Sem remettent la carriole sur ses roues et reprennent le chemin de la maison.

Mais, quelques jours plus tard, un fermier dépose plainte contre Fanfan Lazette. Il l'accuse d'avoir arraché la queue de son meilleur taureau durant cette fameuse nuit de tempête. Le fermier a retrouvé sa bête morte dans le pré, en bordure du chemin.

Fanfan jure qu'il n'aurait jamais fait de mal à un animal domestique. Le taureau a sans doute été foudroyé par un éclair. Mais comme Fanfan a l'habitude de jouer des tours pendables, il est difficile de le prendre au sérieux. Finalement, il reconnaît avoir tiré sur la queue d'une bête : celle de la **Bête à grand'queue** renommée dans tout le pays ! Et il la montre au tribunal.

Le fermier se met à crier : "C'est la queue de mon taureau rouge… Je la reconnais !" Puis, c'est Sem qui témoigne. Selon lui, ils ont été attaqués par la **Bête à grand'queue**. Fanfan les a vaillamment défendus contre le monstre et a sauvé leur vie.

Finalement, il est bien difficile de trouver la vérité. Alors, le tribunal confisque la queue. Le fermier doit promettre d'empêcher son bétail de courir sur les chemins publics. La queue est vendue à l'encan pour payer les avocats. »

– Imaginez ma surprise, poursuit monsieur Desrosiers, lorsque j'ai vu cet objet empaillé à la vente aux enchères de Berthier la fin de semaine dernière. Je me suis dit que c'était peut-être bien la queue légendaire de la **Bête à grand'queue !** Alors, je m'en suis porté acquéreur. Je vais la faire analyser. Peut-être que cette fois, on saura la vérité !

La Bête à grand'queue

Il s'agit d'un conte adapté de « La Bête à grand'queue » d'Honoré Beaugrand, publié dans *La Chasse-galerie*, légendes canadiennes, en 1900. Cette histoire serait survenue en 1856.

Cette bête est parfois aussi appelée La Hère et peut être aperçue autour des camps de bûcherons, comme le rapporte Louis Fréchette dans *Les Contes de Jos Violon*, dans un conte justement intitulé « La Hère ».

L'apparence que nous donnons au diable, mi-homme mi-bête avec une longue queue, serait un héritage de la divinité égyptienne à tête de chacal, Anubis, qui règne sur le royaume des morts.

Élie et le Bonhomme Sept Heures

Il est presque **sept heures**. Papa range le livre
de contes sur l'étagère. Puis, il dépose un bisou
sur les cheveux d'Élie.
– Allez, il faut dormir maintenant. Bonne nuit !

Élie grogne.
– Non… Je veux pas dormir !
– Si, il le faut ! insiste papa. Tu ne dois pas te lever.

Le Bonhomme Sept Heures
rôde aux alentours. Il cherche les petits enfants
qui ne dorment pas.

Élie se lève et se dirige vers son coffre à jouets.
– Ça existe pas, **Le Bonhomme Sept Heures!**
Élie sort ses petites voitures. Il s'amuse à les faire rouler
sur le plancher. Ça roule vite, vite, très vite…

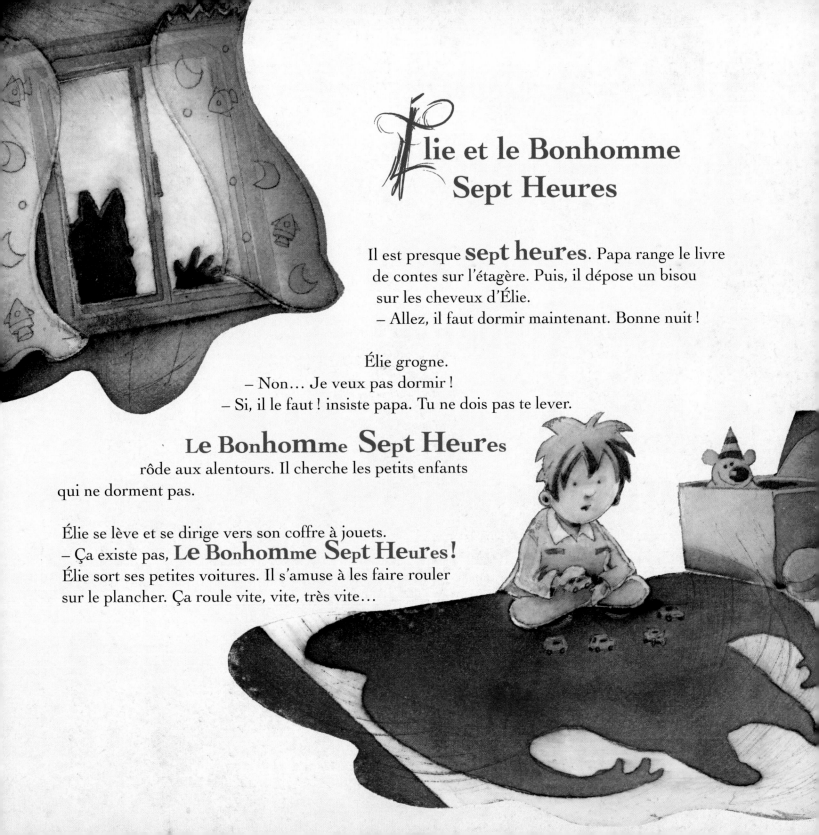

Soudain, il entend des bruits étranges dehors.

– CraC ! CraC ! CraC ! fait le vieux sapin.

– Grin ! Grin ! Grin ! grince la vieille voiture du voisin.

– COui ! COui ! COui ! couine le panneau de signalisation au coin de la rue.

– HoU ! HoU ! HoU ! souffle le vent.

La lune dessine une forme étrange sur le plancher. Élie se retourne brusquement. Quelqu'un regarde par sa fenêtre. Il se frotte les yeux. Est-il en train de rêver ?

Tout doucement, Élie écarte le rideau pour mieux voir. Dehors, c'est la nuit.
Il n'y a que la lune qui brille.

Le nez collé à la vitre, il cherche à voir. Soudain, il le découvre. Là, caché au coin du balcon : un être horrible. Il regarde un peu mieux. Le personnage porte une longue barbe. Il a un long nez crochu. Élie voit le bonnet à cornes, le grand manteau et surtout l'immense sac.
Il n'y a pas de doute. C'est le redoutable **Bonhomme Sept Heures**.

– Ça se peut pas ! dit Élie.

Il saute dans ses pantoufles. Ensuite, il ouvre lentement la porte de sa chambre. Il jette un œil au salon. Maman lit un magazine. Papa n'est pas là. Élie en est sûr maintenant. C'est papa qui est dehors. Il s'est déguisé pour lui jouer un tour.

Élie avance à pas de loup dans le corridor. Il parvient à la porte. Il tourne la clé et ouvre.
Le vent s'engouffre dans son pyjama. Élie passe la tête. Personne.

– CraC ! CraC ! CraC ! fait le vieux sapin.

– Grin ! Grin ! Grin ! grince la vieille voiture.

– COui ! COui ! COui ! couine le panneau de signalisation.

– HoU ! HoU ! HoU ! souffle le vent.

– Haaaa ! Haaaa ! Haaaa ! ricane le vieux bonhomme en surgissant au coin du perron.

Élie voit les grandes bottes du géant. Il sent l'odeur d'humidité de ses vêtements. Et surtout, surtout… il voit le grand sac qui s'ouvre pour l'aspirer.

– Ding ! Ding ! Ding ! Ding ! Ding ! Ding ! Ding ! fait l'horloge du salon.

Élie compte les « ding », il y en a sept. Il est sept heures. Élie claque la porte au nez du voleur d'enfants. Il repart en courant vers sa chambre. Il saute hors de ses pantoufles et plonge dans son lit. Élie remonte sa couverture sur sa tête.

Il est sept heures. Une heure à ne plus mettre un enfant dehors.

Le Bonhomme Sept Heures

Il existe deux hypothèses pour expliquer le nom et la personnalité
du Bonhomme Sept Heures.

La première, qui est contestée, est anglo-américaine. Elle fait référence au Bone Setter,
c'est-à-dire au rebouteur qui arrachait des cris de douleur à ses « patients ». Il personnifiait
les peurs et les mystères de la nuit, et était chargé de faire peur aux enfants turbulents.

La seconde hypothèse plaide pour une origine française. Dans plusieurs campagnes,
par exemple en Franche-Comté, on trouve un Monsieur Couche Huit Heures. On trouve
également, un Bonhomme Basse-Heure en Bretagne. Ce terme désignant le crépuscule.
Dans d'autres régions françaises, il porte parfois le nom de croquemitaine.

Dans tous les cas, il s'agit d'un être sournois, méchant, au nez crochu, affichant
une longue barbe et destiné à faire peur aux enfants. La plupart du temps, il possède
un bonnet à cornes, plusieurs manteaux enfilés les uns par-dessus les autres et un grand
sac sur l'épaule. Ce sac peut être assez grand pour contenir les enfants qu'il enlève
ou encore du sable qu'il leur jette dans les yeux, ce qui, dans cet exemple, le rapproche
du Marchand de sable.

Marquis imprimeur inc.

Québec, Canada

2009

FSC